MAKKELIJK LEVEN

Dit Boekenweekgeschenk wordt u aangeboden
door uw boekverkoper.

HERMAN KOCH
MAKKELIJK LEVEN

EEN UITGAVE VAN DE STICHTING COLLECTIEVE
PROPAGANDA VAN HET NEDERLANDSE BOEK
TER GELEGENHEID VAN DE BOEKENWEEK 2017.

Stichting Collectieve
Propaganda van het
Nederlandse Boek

Dit boek is gedrukt op 100% chloorvrij geproduceerd papier.
Drukwerk GGP Media GmbH, Pößneck

Uitgever Stichting CPNB
Productie Ambo|Anthos *uitgevers*
Omslagontwerp en -illustratie Roald Triebels, Amsterdam

ISBN 978 90 5965 411 2
NUR 300

www.boekenweek.nl

De tijd (dat is bekend) vliegt soms als een vogel en kruipt soms als een worm; maar het gaat de mens bijzonder goed als hij zelfs niet merkt of hij snel of langzaam voorbijgaat.

Ivan Toergenjev
Vaders en zonen

Voor mijn zoon
Pablo

Ik schrijf zelfhulpboeken.

Ik denk dat u mij wel kent. Van mijn succesvolste boek, *Makkelijk leven*, zijn wereldwijd meer dan veertig miljoen exemplaren verkocht. Is dat succes mij naar mijn hoofd gestegen? Ja en nee. Kort na het verschijnen van de achttiende druk – toen alleen nog in het Nederlands, en wat lijkt dat inmiddels lang geleden! – kocht ik een zwarte Jaguar XF. Julia, mijn vrouw, trok het gezicht dat ze ook altijd trekt wanneer ik haar vertel dat er 's avonds Champions League-voetbal op tv is en we dus niet uit eten kunnen. 'Als je echt heel graag wilt, moeten we om zes uur gaan, want ik wil uiterlijk om acht uur terug zijn, dan begint de voorbeschouwing (...) Morgenavond? Nee, dan is er ook Champions League. Donderdag Europa League. Vrijdag! Wat vind je van vrijdag?'

Dat gezicht dus. Het veranderde niet van uitdrukking toen ik het rechterportier voor haar openhield. Hoofdschuddend liet ze zich in de crème-leren passagiersstoel zakken. 'O, Tom, wat erg!' zei ze. 'Ik durf dit niet. Dit is toch niets voor ons? Zo zijn wij toch niet?' Het crème had ik uitgezocht op de homepage van Jaguar waarop je alle details en extra's zelf in kon kleuren. Vooraanzicht, zijaanzicht – met de cursor liet ik de auto driehonderdzestig graden draaien. Uit vijftien typen velgen koos ik die met de meeste spaken: een glimmend spinnenweb van zilverdraad. Een wijnrood nepnotenhouten dashboard dat perfect matchte met de kleur van de stoelbekleding en de donkerbruine binnenkant van het dak.

Ik hield me in. Van de stoelverwarming zag ik af, evenals van de mogelijkheid om met een simpele druk op een vanaf het stuur te bedienen knopje eventuele ijsvorming op de zijspiegels te laten smelten. Wel koos ik voor het geluidssysteem van Bower & Wilkins: één subwoofer en veertien over het interieur verspreide boxen. Een 'bekroond' geluidssysteem stond er op de homepage te lezen. Het beste in een auto ingebouwd geluidssysteem *ever*. Zo zijn wij toch niet? zag ik Julia's lippen bewegen terwijl ik het volume, eveneens vanaf het stuur, maximaal opengooide en 'Now or Never' van The Roots de Jaguar op zijn banden deed trillen. In de huizen aan weerszijden van de straat bewogen vitrages, een enkeling schoof zelfs zijn raam open om, met de armen op de vensterbank leunend, mijn nieuwe aanwinst onbeschaamd op zich te laten inwerken.

En mijn vrouw had gelijk. Zo waren wij niet. Zo was ík niet – niet echt. Ik vond de Jaguar mooi, een oogverblindend mooie auto, het logo alleen al, een zilverkleurige jaguar die een sprong neemt naar een zich buiten beeld bevindende prooi: een zebra of een gazellekalfje. Maar ik zag ook nog iets anders. We hadden destijds een benedenwoning in een rustige straat. Ik parkeerde de Jaguar het liefst recht voor de deur zodat ik hem vanuit het raam van mijn werkkamer kon zien staan. En ik wist plotseling wat ik zag: een mooie auto, maar niet voor mij. Een auto waarvoor je even je hoofd omdraait om hem na te kijken. Niet een auto om zelf in te zitten. Geen auto om zelf in nagekeken te worden. Door het raam van mijn werkkamer keek ik naar de Jaguar, met afstand de mooiste auto in de hele straat. Alle andere geparkeerde auto's werden er lelijker door, maar toch was deze auto voor iemand anders, wist ik nu zeker. Een minister. Een bankdirecteur. Een advocaat. Bram Moszkowicz! Hoewel Bram Moszkowicz dan weer in een andere auto reed. Op een middag, jaren geleden, liep ik met Stefan, mijn jongste zoon, over het Singel, net voorbij de Leidsestraat, en passeerde ons een zilvergrijze Bentley. We keken de auto na. Vader en zoon. Samen keken we naar Ajax en Barcelona. Samen keken we alle Lamborghini's, Ferrari's, Aston Martins en Jaguars na. Zo ook de zilvergrijze Bentley, die een vijftigtal meter verderop tot stilstand was gekomen en langzaam achteruit begon te rijden. Ter hoogte van de plek waar mijn zoon en ik waren blijven staan stopte de Bentley opnieuw. Het raampje aan de passagierszijde gleed naar beneden en Bram Moszkowicz boog zich naar ons toe.

'Mag ik u complimenteren,' zei hij. 'Ik kom net uit Curaçao en daar heb ik uw boek gelezen. Dat is werkelijk bijzonder goed getroffen. En het is allemaal waar, kan ik u uit hoofde van mijn praktijkervaring verzekeren.'

Dat ging toen over *Naar de grenzen van de misdaad. Een zoektocht naar een minder saai leven.* De titel was te lang. Toen het boek later in de Verenigde Staten uitkwam (na het succes van *Makkelijk leven* zijn ze in het buitenland begonnen een deel van mijn backlist uit te geven) veranderde de Amerikaanse uitgever die titel in *Crime Without Borders* (de titel *Crime Without Punishment*, die ze er aanvankelijk aan hadden willen geven, bleek helaas al eerder te zijn gebruikt). Ik heb dat boek altijd als de voorloper van *Makkelijk leven* beschouwd, of beter gezegd: *Misdaad zonder grenzen* bracht me op het idee.

Slechts een klein deel van de mensheid zet alles op alles om zichzelf maximaal te verwezenlijken. Sportmensen behoren tot deze categorie, voetballers, wielrenners, formule 1-coureurs, maar ook kunstenaars, schrijvers, schilders, componisten, rocksterren, rappers, filmregisseurs. Ze nemen geen genoegen met een vaste baan; voor deze categorie is een vaste baan het voorportaal van de hel. Het leven is te kort om van negen tot vijf door het raam van een kantoorgebouw naar buiten te staren. Om in de vakantie met een gezinsauto naar een camping te rijden. Om twintig jaar voor je dood met pensioen te gaan. Het pensioen – de te lange epiloog van een niet-geleefd leven.

Ook de misdadiger behoort tot deze buitencategorie. Zowel de kleine inbreker als de huurmoordenaar draait op dezelfde adrenaline. De spanning die de zakkenroller voelt op het moment dat hij zijn hand in het half openstaande damestasje laat glijden, is dezelfde als die van de polsstokhoogspringer in die ene seconde waarin zijn lichaam nog maar voor driekwart over de lat heen is en hij nog niet weet of zijn hiel die alsnog van de palen zal stoten. De zware crimineel kijkt voortdurend achterom, in een café gaat hij altijd met zijn rug naar de muur zitten, op een plek waar hij de deur in de gaten kan houden. Voordat hij zijn auto start laat hij zich eerst op zijn knieën zakken om eronder te kijken – maar hij leeft wel. Elke minuut kan de laatste zijn. De huurmoordenaar haalt geluidloos adem wanneer hij de hotelkamer betreedt waar zijn slachtoffer in een diepe slaap onder het dekbed ligt. Wie had dit ooit gedacht? schiet het misschien door zijn hoofd. Dat ik op de middelbare school een negenenhalf haalde voor mijn aardrijkskundewerkstuk over de inpoldering van de Haarlemmermeer en nu in een hotelkamer sta, een Heckler & Koch met geluiddemper losjes in mijn na jaren van ervaring toch nog altijd klamme hand?

Met dat uitgangspunt ben ik aan *Makkelijk leven* begonnen. Dat gewone mensen ook recht hebben op hun hotelkamermoment, hun cafétafeltje met de rug tegen de muur, het beleven van het leven of elke minuut de laatste kan zijn. En dan het liefst niet door parachutespringen of bungeejumpen. Dat duurt zowel te kort als te lang. Eerst naar het vliegveldje, dan de lucht in, je parachute omgorden en vervolgens naar buiten – voor je het weet is het alweer voorbij. Nee, het kan ook gewoon thuis op de bank, op het balkon, in de metro naar je werk. Dat is wat ik de gewone mensen – de mensen zonder fantasie noem ik ze gemakshalve even tussen u en mij gezegd en gezwegen – met *Makkelijk leven* heb aangereikt: een draagbaar doosje dat ze alleen maar hoeven open te klappen om weer dezelfde geur te ruiken. Het kan altijd en overal: leven. Pech gehad als je al boven de vijftig bent en je nu op die voorbije jaren als verloren tijd moet terugkijken. Maar dat gevoel van spijt duurt niet lang. Vanaf nu telt elke minuut als een jaar, de verloren tijd is sneller ingehaald dan je denkt.

Is het succes mij naar het hoofd gestegen? Nee. Dat gedoe met die auto's is een bijkomstigheid. Andere mannen kopen op hun vijftigste een elektrische gitaar of lopen in drie maanden naar Santiago de Compostella. Ik ben vooral normaal gebleven. Mezelf. 'Dicht bij mezelf gebleven' zou ik bijna zeggen als dat niet zo'n afgelebberde uitdrukking was. Dode woorden, net zo dood als 'een uitdaging' en tweedehands begrippen als 'je kwetsbaar opstellen'. Toch heb ik een heel boek rond die woorden en begrippen geschreven zonder ze ook maar één keer te noemen. Toen ik *Makkelijk leven* af had heb ik de zoekfunctie in mijn Word-document aangeklikt, ook al wist ik de uitkomst allang. Nergens raadde ik de lezers aan om 'dicht bij zichzelf te blijven', om ergens 'een uitdaging' in te zien. 'Kwetsbaar' is bijna een vies woord als je er te lang over nadenkt – iets, een bloemblaadje, een insect, dat je tussen je vingertoppen fijn kunt wrijven.

Toch is het precies dat waar het in het leven om draait, je moet het alleen niet benoemen met opgebruikte woorden. 'Normaal' en 'normaal doen' kwamen respectievelijk zesentachtig en vierenzestig keer voor. 'Normaal' heeft in de afgelopen vijf jaar een gedaanteverwisseling ondergaan, en ook 'normaal doen' is intussen grondig afgestoft – niet alleen door mij.

'Vind je het niet leuk van mij dat ik ondanks alles zo normaal ben gebleven?' vraag ik soms aan mijn vrouw. Ondanks de Jaguar XF, wil ik daarmee zeggen, die ik na acht maanden heb ingeruild voor een eveneens zwarte Range Rover Sport die veel beter bij mij past. Ondanks de miljoenen op de bank, ons dijkhuisje in Zeeuws-Vlaanderen en het appartement in Barcelona. Ik vraag het met een ironische ondertoon, met die lichte twinkeling in mijn ogen die ik er op commando in kan aanbrengen. Ik bedoel dit natuurlijk niet serieus, wil ik met die ondertoon en twinkeling zeggen. Niets is meer normaal in het leven van een zelfhulpboekenschrijver die over de hele wereld wordt uitgenodigd om lezingen te geven. Om zijn geheim van makkelijk leven nog eens live te delen. Alsof men aan zijn boek nog niet genoeg heeft.

Ik zal u een geheim verklappen. De werkelijke boodschap van mijn filosofie, als je het filosofie mag noemen, past op één A4'tje. Wat zeg ik? Een half A4'tje. De inhoud staat in feite in de inhoudsopgave. Het gaat erom dit alles uit te smeren over een boek van krap driehonderd pagina's. En ik bedoel dit uitsmeren niet eens in negatieve zin. Die driehonderd pagina's dienen een doel: mensen zijn eerder bereid om € 19,99 neer te tellen voor een boek dan voor een A4'tje. Dat heet 'waar voor je geld'. Maar de meeste mensen zijn ook traag van begrip. In *Makkelijk leven* hamer ik mijn boodschap erin. In de eerste plaats door meer voorbeelden te geven. Maar wie het hele boek uit heeft (en dus kennelijk traag van begrip is), kan daarna terugvallen op de vijf à tien hoofdpunten: het hele of het halve A4'tje.

Misschien bent u niet traag van begrip, of denkt u in elk geval dat u dat niet bent – wat al heel wat is, het is in elk geval een begin. Voor wie niet traag van begrip is, bevat dit verhaal een bonus. Ik heb inmiddels genoeg exemplaren van *Makkelijk leven* verkocht. Veertig miljoen, ik zei het al in het begin, maar *as we speak* zijn het er misschien veertig miljoen tweehonderdduizend geworden. Ik zeg dat weleens tegen mijn vrouw, met dezelfde ironische ondertoon en dezelfde twinkeling in mijn ogen als wanneer ik haar vraag hoe leuk zij het vindt dat ik zo normaal ben gebleven.

'De aarde draait,' zeg ik, terwijl ik me neervlij op de bank en mijn handen achter mijn hoofd vouw. 'Ergens ter wereld zijn er op dit moment vast wel boekwinkels open. Ook als ik hier de hele dag blijf liggen komt er genoeg geld binnen om vanavond samen in een restaurant te kunnen gaan eten. Wat zeg ik? In vijftig restaurants! In honderd!'

Wat ik wil zeggen is dat het van mij niet meer hoeft, geld verdienen. Vorig jaar stond *Makkelijk leven* nog op één in de top tien van meest illegaal gedownloade boeken, begin dit jaar stond het op vijf. Moet ik daar ongerust van worden? Moet ik in een of ander praatprogramma een verontwaardigd betoog afsteken tegen het illegaal downloaden van boeken? Laatst wilden ze me daarover spreken in een van die vele praatprogramma's (ik zal niet zeggen welk, om ze niet in verlegenheid te brengen). Ik meende al iets van leedvermaak te horen in de stem van de redactrice die mij belde voor het zogenaamde voorgesprek (dat is ook zoiets: ze bellen je om negen uur 's ochtends en vallen meteen met de deur in huis, ze vragen niet of je überhaupt wel zin hebt om die avond je opwachting in het praatprogramma te maken, maar stoten gelijk door naar het voorgesprek, dan hebben ze dat tenminste al gehad). 'Wat vindt u daar nou van?' hoorde ik een waarschijnlijk amper eenentwintigjarige meisjesstem aan de andere kant van de lijn vragen. Ik hoorde vooral dat ik het allemaal heel erg moest vinden, al die illegaal gedownloade boeken, alsof ik gelijk mijn huis in de verkoop zou moeten zetten en in een kleinere auto zou moeten gaan rijden.

Nee, ik ga iets anders doen. Ik ga de illegale downloaders een handje helpen. Van de meeste boeken word je niet beter. Van dit boek wel. Ik zal het A4'tje met u delen – straks, aan het eind, als ik mijn verhaal heb gedaan: op de laatste pagina.

En dan tot slot nog iets: dit is niet zo'n boek waarin iemand die zelfhulpboeken schrijft zijn eigen leven niet op orde heeft. Parallel aan de psychopaat die psychiater wordt, de pyromaan die bij de brandweer werkt, de seriemoordenaar die meehelpt met zoeken naar het lijk. En, hoe heette die vent ook alweer, hij was senator, of nee, gouverneur van de staat New York? Pfiltzer... Pfitzer... ik kom er even niet op. Hoe dan ook, hij had er als gouverneur een levenstaak van gemaakt om prostitutie aan te pakken. Totdat bleek dat hij zelf gebruikmaakte van de diensten van een luxe escortnetwerk. Daar stond hij, achter de katheder met een hele batterij microfoons voor zijn neus, om zijn zonden op te biechten. Flitsende camera's. Zijn vrouw stond naast hem, met een behuild en opgebrand gezicht.

Kinderen van tandartsen hebben de meeste gaatjes in hun kiezen. Bij de loodgieter lekt het altijd. Succesvol schrijver van zelfhulpboeken, beroemd, miljonair, kan uitgerekend zichzelf niet helpen, maakt een puinhoop van zijn leven. Buitenechtelijke affaires, drank- en drugsgebruik, een scheiding, depressie, zelfmoord. Zo'n verhaal. Een verhaal dat iets wil bewijzen: koningen en prinsessen zijn niet altijd automatisch gelukkig, of een soortgelijke boodschap. Een schrijver van een bestseller over hoe je van het roken af moet komen die zelf weer is begonnen. Nee, dat zou veel te makkelijk zijn. Te voor de hand liggend. Wie dus zit te wachten op een verhaal waarin de hoofdpersoon op het hoogtepunt van zijn roem en rijkdom ten val komt, kan beter meteen doorbladeren naar het A4'tje achterin.

Nee, ik ben niet ten val gekomen. Er zijn hooguit een paar dingen gebeurd die mij aan het denken hebben gezet. Niet meer dan een appendix, een paar korte hoofdstukken die ik vandaag de dag aan *Makkelijk leven* zou kunnen toevoegen: zoals het bonusmateriaal op een dvd, de extra lange versie – de 'director's cut'. Nieuw kaftje eromheen en klaar is Kees. En het opgepimpte eindresultaat vervolgens voor het volle pond in de boekwinkel leggen.

Ik moet nu opnieuw aan die gouverneur denken: Eliot Spitzer, ik heb het intussen opgezocht. Zou ik ooit aan Julia vragen of ze naast mij zou willen komen staan op een persconferentie waarop ik bekendmaak wat ik in de komende bladzijden ga ontvouwen? 'Wat moet ik aan?' zou ze me vragen. 'Iets gewoons,' zou ik moeten antwoorden, 'iets betrouwbaars. Mij geloven ze misschien niet, maar jou geloven ze meteen. Je hoeft niets te zeggen. Door er te staan zeg je precies genoeg.'

Nee, ik zou dat nooit van haar vragen. Het zou zeker helpen, maar het zou de makkelijke weg zijn. Ik moet het helemaal zelf doen.

En zo zijn we weer terug bij het begin. Bij het woord 'zelf' en de titel van mijn succesvolste boek dat ik aanvankelijk *De makkelijke weg* had willen noemen. Een uitweg ergens uit zoeken en dan de makkelijkste weg nemen. Ik geloof nog altijd dat dat onder alle omstandigheden de beste keuze is. Vergelijk het met een scheepsramp: het schip is gekapseisd en ligt ondersteboven in het water. Er zijn meerdere rampenfilms over zo'n gebeurtenis gemaakt. Omdat de rampenfilm avondvullend moet zijn, volgen we de tocht van een klein groepje overlevenden door het binnenste van het schip. Nooit zal er in een rampenfilm ergens een patrijspoort openstaan waardoor iedereen al na tien minuten naar buiten kan klauteren.

In het echte leven is die patrijspoort er wel.

Het begon allemaal op een feestje bij ons thuis ter gelegenheid van Julia's negenenvijftigste verjaardag. We hadden wat vrienden uitgenodigd, de onvermijdelijke familieleden, en natuurlijk ook onze jongste zoon en zijn gezin. Dennis, onze oudste zoon, is getrouwd en woont sinds een jaar of acht in Canada. Getrouwd met een Canadese vrouw. Drie kinderen. Hem hoefden we dus alvast niet uit te nodigen. Af en toe komen ze naar Nederland, niet te vaak, niet vaker dan eens in de drie jaar, soms met kerst, of een dag of veertien in de zomer.

Gelukkig niet te vaak, wil ik hier meteen aan toevoegen. Ik weet dat het moeilijk is om dit soort dingen over je eigen kinderen te zeggen, maar het is gewoon niet anders. Mijn oudste zoon is saai – het heeft geen zin om eromheen te draaien. Dodelijk saai, als kind al, en tijdens zijn puberteit en zijn volwassenwording is het alleen maar erger geworden. We koesterden even hoop toen hij zijn aanstaande vrouw aan ons kwam voorstellen. De vrouw die hij op zijn reis door Canada had ontmoet. Caitlin. We hoopten met heel ons hart dat zij misschien wat leven in onze saaie zoon zou kunnen blazen, want deze Caitlin was zonder meer leuk. 'Sprankelend' is misschien de beste omschrijving, op de manier waarop een schijfje citroen kan sprankelen in een door de zon beschenen gin-tonic. Wat ziet deze vrouw in onze zoon?

vroegen Julia en ik ons na afloop van die eerste ontmoeting hardop af. We wisten niet goed of we het fijn voor hem moesten vinden, of zielig voor haar.

Met Stefan ligt dat helemaal anders. Je kunt je in allerlei bochten wringen en blijven ontkennen dat een van je twee kinderen je favoriet is, maar naast Dennis zou ieder ander kind onze favoriet zijn. Onze jongste zoon 'levendig' noemen is een understatement. Hij is meer dan dat, als kind kon hij al nooit stilzitten. ADHD noemen ze dat tegenwoordig, maar aan dat modeverschijnsel hebben wij nooit meegedaan. Met zijn huwelijk is het precies andersom als met Dennis. Wij vinden zijn vrouw niet leuk. Echt niet leuk. Het is een van de ergste nachtmerries die je als ouder kunnen overkomen. In het begin hoopten we nog dat hun relatie dood zou bloeden. 'Stefan,' zei ik een keer tegen hem tijdens een etentje toen ik wat te veel gedronken had, 'je moet me geloven, jongen, maar die vrouw is niks voor jou.' Ik vraag me nog weleens af of hij dit vaderlijke advies onthouden heeft. Het doet er ook niet meer toe, want een jaar na het begin van hun relatie zijn ze getrouwd. Twee kinderen, inmiddels drie en vijf jaar oud. Leuke kinderen, ik kan niet anders zeggen – ondanks hun moeder.

Voor de vorm hadden we ze dus op Julia's verjaardagsfeestje uitgenodigd, in de hoop dat ze niet zouden kunnen. Dat althans zijn vrouw om de een of andere reden verhinderd zou zijn en onze zoon alleen zou komen.

We hadden geluk. Op de middag van de verjaardag belde Stefan dat ze geen oppas konden krijgen, en dat de kinderen eigenlijk al in bed moesten liggen voor ons feestje goed en wel zou zijn begonnen.

'Maar dan kun jij toch alleen komen?' vroeg ik.

'Ja, dat zou kunnen,' antwoordde hij, en het leek of hij opeens zachter begon te praten. 'Maar Hanna voelt zich niet helemaal lekker. Het zou een beetje onaardig zijn om haar met de kinderen alleen te laten, met naar bed brengen en alles. Zeg maar tegen mama dat ik morgen langs probeer te komen.'

Hanna voelt zich niet helemaal lekker... Er waren honderd dingen die ik tegen mijn zoon had kunnen zeggen – 'Laat je toch niet altijd zo betuttelen door die vrouw van je' was er een van –, maar niet zei. Ik wist allang hoe laat het was. Hanna had gewoon geen zin. Ze liet toch al geen gelegenheid voorbijgaan om duidelijk te maken dat ze haar schoonouders als een slechte invloed op haar echtgenoot beschouwde.

Ik zag haar gezicht voor me, haar altijd in de ontevreden stand staande gezicht. De gepijnigde uitdrukking op dat gezicht terwijl ze zich tot mijn zoon richtte: 'In je eentje naar je moeders verjaardag? En ik dan? Ik voel me helemaal niet lekker, Stefan. Je moet me vanavond helpen met de kinderen, ik zou het je echt niet vragen als het niet nodig was.'

Aan het begin van een feest is er altijd nog een zekere verwachting, een vage hoop, op iets nieuws misschien wel – een inzicht, iemand die iets zegt wat je je een dag later nog weet te herinneren. Zoals je vroeger een grens overstak, op de achterbank in de auto van je ouders, in een ver achter ons liggende tijd waarin een grens nog echt een oversteek naar iets anders was: de eerste buitenlandse brievenbus, een politieagent met een ander uniform, een vuile locomotief voor een trein.

Je zet een schaaltje olijven op tafel, toastjes, een mandje stokbrood. Je hebt nog maar net het eerste biertje opengetrokken wanneer de bel gaat. Het is nog vroeg, zo vroeg dat je nog nieuwsgierig bent naar wie het kan zijn, maar het is als elk jaar die ene vage neef die ook altijd weer als eerste naar huis gaat.

Soms zie ik mezelf staan, leunend tegen het aanrecht, het tweede blikje bier losjes in de hand. *Helemaal mezelf*, ik zou niet weten hoe ik het anders moet omschrijven. In harmonie met mezelf. *Hij zit goed in zijn vel*, zeggen de mensen over iemand zoals ik.

Wie goed in zijn vel zit wordt nog maar zelden tot nieuwe inzichten gebracht, in elk geval niet door anderen.

Je hebt altijd mensen die een tandarts op zijn verjaardagsfeestje vragen of hij even een blik in hun mond wil werpen. Patiënten die op zaterdagmiddag hun huisarts tegen het lijf lopen in de supermarkt, hem er eerst van verzekeren dat ze hem niet verder zullen lastigvallen tijdens zijn vrije weekend en vervolgens hun mouw opstropen om hem te vragen of hij even naar dat rare bultje op hun linkerarm wil kijken. Zo waren er ook nu weer vriendinnen van Julia die me aanklampten over een bepaalde passage in *Makkelijk leven*.

Het is vandaag zaterdag, had ik kunnen antwoorden. De verjaardag van mijn vrouw. Mijn vrije dag. Ook ik heb recht op vakantie van mijn eigen inzichten.

Maar zo werkt het natuurlijk niet. Mijn praktijk is dag en nacht geopend. Op elk feestje is er een verzadigingspunt. Eerst zie je nog uitsluitend nieuwe gezichten, dan worden de nieuwe gezichten oud. Je zou eigenlijk het liefst op huis aan willen gaan, maar je bevindt je in je eigen huis, op je eigen feest – een boot waar je niet vanaf kunt.

Soms trek ik me op zulke momenten terug op de wc naast onze slaapkamer. 'Ik wil naar huis,' zeg ik hardop tegen mijn spiegelbeeld. En ik zie een man die al niet meer zo goed in zijn vel zit als tijdens de eerste uren van het feest, toen de verwachtingen misschien niet hooggespannen maar in elk geval nog wel verwachtingen waren.

Het was al ver voorbij het verzadigingspunt – ik was net voor de derde keer teruggekeerd van de wc waar ik tegen mijn spiegelbeeld had gezegd dat het de hoogste tijd was en we nu echt naar huis moesten, toen ik Julia vanuit de keuken hoorde roepen.

'Tom?'

Er stond muziek op, dansmuziek, iets van lang geleden. Stoelen werden opzijgeschoven. Een paar mensen – die met de meeste drank in hun lijf waarschijnlijk – waagden zich aan de eerste danspassen in de woonkamer.

Zoals mensen van onze leeftijd dansen: iets te vlot, iets te blij ook. Het soort dansbewegingen – de armen te ver naar buiten, als vogels die proberen op te stijgen uit het water, de ellebogen een gevaar voor eenieder die zich te dicht in de buurt waagt – waar onze kinderen zich voor schamen; zich voor schááмden, inmiddels zijn ze die schaamte allang voorbij. *Laat die oude mensen toch.* Maar bij dansende mensen van onze leeftijd moet ik toch altijd het eerst aan die kindergezichten denken, hun handen voor hun ogen, weggedoken in de kussens op de bank.

'De bel! De bel gaat!' riep mijn vrouw vanuit de keuken. 'Tom, kan jij even kijken. Tom?'

Zelf had ik niets gehoord, maar het was heel goed mogelijk met het volume van de muziek dat er al vaker dan één keer was aangebeld.

'Ik ga al, ik ga al!' riep ik terug, en ik daalde de trap naar de voordeur af.

De overgang van de verlichte trap naar de donkere straat buiten was te groot, daarom zag ik aanvankelijk niet dat haar gezicht betraand was. Ik zag helemaal niets. Ook de andere dingen zag ik pas later.

'Hanna!' riep ik uit, door de drank kostte het me minder moeite om blij verrast te doen bij de aanblik van mijn schoondochter. 'Kom binnen, kom binnen. Waar is…?' Ik deed een pas naar voren en stak mijn hoofd naar buiten, alsof ik wilde kijken of mijn zoon misschien nog bezig was de auto ergens verderop in de straat te parkeren. Tegelijkertijd strekte ik mijn armen uit om Hanna te omhelzen – dat kon er ook nog wel bij, na vijf of zes blikjes bier en een mij inmiddels onbekend aantal shotjes wodka hoefde ik mijn warme gevoelens jegens haar niet eens te spelen.

Het was waar, ik wist het van mezelf: ik had geen kwade dronk, een paar glazen drank maakten me vergevingsgezinder. Aan vergevingsgezindheid als een van de pijlers van een gelukkig bestaan had ik een half hoofdstuk in *Makkelijk leven* gewijd.

Ik zag het in die ene seconde voordat mijn schoondochter me in mijn armen viel. Iets glanzends op haar wangen. Iets nats dat gedurende dat korte ogenblik het licht uit de hal opving.

'Tom!' snikte ze, terwijl ze op haar beurt haar armen om me heen sloeg en me stevig tegen zich aandrukte. 'O, Tom...'

Ja, zo ging het. Dat zei ze echt. En juist door de banaliteit en beknoptheid waarmee mijn schoondochter uiting aan haar emoties gaf wist ik meteen dat het menens was. 'We moeten onszelf niet willen forceren om altijd maar origineel te zijn,' had ik in *Makkelijk leven* geschreven. 'Vaak drukken wij onze ware gevoelens gewoon het beste uit in clichés.'

Ik zocht nog een laatste keer met mijn ogen de straat af, maar er was geen beweging, niemand was bezig zijn auto op een van de vrije parkeerplekken te parkeren. Met zachte drang trok ik Hanna vervolgens naar binnen en sloot de voordeur.

Ze keek langs de trap omhoog en haar betraande gezicht ving het volle licht van de plafondlamp in het halletje en heel even, terwijl ze haar hoofd in de richting van de muziek en het gelach van onze dansende gasten draaide, zag ik ook nog iets anders.

Het duurde zo kort dat ik me afvroeg of ik het me misschien had verbeeld, maar toen draaide ze haar gezicht weer naar me toe en zag ik het opnieuw.

Er kwam een gedachte in me op die ik meteen weer de kop indrukte: ik zou mijn schoondochter bij de hand kunnen nemen, mee de trap op. Het moment waarop zij in de deuropening van de woonkamer zou verschijnen. De feestvierders zouden naar de nieuwkomer kijken, nog even doorgaan met dansen en daarna opnieuw naar haar kijken. Iemand zou de muziek zachter zetten, aan het dansen zou een einde komen, kort daarop zouden de meesten hun jassen pakken en vertrekken.

'Ik... ik weet niet,' zei Hanna, terwijl ze me een hulpeloze blik toewierp en even met haar vingertoppen over haar betraande wangen streek.

Naast ons halletje is een kamer die vroeger uitsluitend door onze zoons werd gebruikt. Er paste een tafeltennistafel in, ze hadden een boksbal aan het plafond gehangen, er hing een dartboard aan de muur en een groot scherm waarop ze met een beamer films en hun playstation-games projecteerden. Sinds ze de deur uit waren getuigden alleen twee slaapbanken en een ijskast van het nog maar zo recent lijkende verleden waarin er elk weekend altijd wel drie of vier vrienden en vriendinnen bleven logeren.

'Hier, kom,' zei ik, terwijl ik haar, met één hand bij haar pols en de andere op haar onderrug, naar een van de twee slaapbanken dirigeerde. 'Ga zitten.'

Ik zocht naar de lichtknop, maar toen bedacht ik me. Ik wilde nogmaals haar gezicht zien, met zekerheid vaststellen dat ik het goed had gezien, maar ik wilde haar niet blootstellen aan een zee van licht.

Pas veel later heb ik me afgevraagd of dat niet precies was wat ze zocht: het volle licht van de schijnwerpers. Ze was tenslotte op eigen initiatief hiernaartoe gekomen, ze wist dat wij die avond een feestje gaven.

Misschien was dat wel wat haar voor ogen stond toen ze hier zo laat aanbelde: een feest, dansende mensen – die meteen zouden ophouden met dansen wanneer ze haar gezicht zouden zien.

Ten overstaan van al onze vrienden en kennissen zou dat gezicht zijn eigen verhaal vertellen. Iedereen zou weten wat voor man onze jongste zoon eigenlijk was. Ik had het in een ver verleden weleens meegemaakt. Een vrouw op een receptie die tegenover iedereen volhield dat ze haar hoofd had gestoten, of van haar fiets was gevallen; de details kan ik me niet meer herinneren. Wat ik nog wel goed weet is hoe de vrouw mij aankeek terwijl ze dit vertelde. We kenden elkaar niet goed, ik was in de eerste plaats een vriend van haar man. Ze overhandigde me een glas wijn en keek me aan. Ik probeerde niet naar de gele en bruine bloeduitstortingen op haar linkerwang te kijken, haar rode en blauwe linkeroog. Haar beide ogen vertelden een ander verhaal dan dat ze met haar hoofd tegen de openstaande deur aan was gelopen, of van haar fiets was gevallen, maar tegelijkertijd moedigden die ogen mij aan om niet verder aan te dringen. Dit was een binnenlandse aangelegenheid, zei ze met haar blik. Hier komen we samen wel uit.

In hoeverre was dit met Hanna ook een binnenlandse aangelegenheid? Ik stelde me een gesprek voor. 'We moeten praten,' zou ik tegen Stefan zeggen, en hij zou meteen begrijpen waarop ik doelde. Misschien zou hij snel op zijn horloge kijken en zeggen dat hij een afspraak had. 'Je hebt vijf minuten, pap.' Moest ik dit samen met Julia doen? In het bijzijn van zijn moeder gedroeg hij zich anders, speelde hij met verve de rol van de volwassen zoon die altijd haar liefste, kleine jongen zou blijven. Tegen haar zou hij nooit zeggen dat ze maar vijf minuten had.

Maar er was iets wat me ervan weerhield om mijn vrouw in deze zaak te betrekken. Iets van het beeld dat zij van haar favoriete zoon had zou voor altijd beschadigd raken. Hoewel ik ervan overtuigd was dat zij het in de eerste plaats voor hem zou opnemen. Ik hoorde het haar al zeggen: *Wat heeft dat mens in hemelsnaam uitgespookt om hem zo zijn zelfbeheersing te laten verliezen? Zo is Stefan helemaal niet.*

Ik kon niet ontkennen dat ik mezelf op hetzelfde moment

waarop ik deze gedachte toeliet, ook voor het eerst in dit fictieve standpunt van mijn vrouw verplaatste. In het halfdonker keek ik naar Hanna's gezicht. De verkleuringen waren bij deze lichtval niet goed te zien, hooguit dat alles onder haar linkeroog een fractie donkerder was dan de rest van haar gezicht, en toen ze haar hoofd juist op dat moment een halve slag draaide om mij aan te kijken, zag ik ook meteen dat het daar aan de linkerkant, bij haar jukbeen, op haar wang, dikker was dan aan de rechterkant.

Wat heb je gedaan? vroeg ik haar in stilte. *Wat heb je in godsnaam gedaan om hem zover te krijgen?*

'Wil je iets drinken?' vroeg ik, maar toen ik de deur van de ijskast opende merkte ik dat die niet aan stond.

'Het is niet de eerste keer,' hoorde ik Hanna's stem op dat moment achter me. Bleef ik misschien nog iets langer met mijn rug naar haar toe staan om tijd te winnen? Of wilde ik haar zo de kans geven om nog meer te zeggen, omdat het haar kennelijk makkelijker viel wanneer ze me niet aan hoefde te kijken?

Er zijn dingen die je liever nooit gehoord had willen hebben. Met sommige dingen die hardop zijn gezegd is het bijna onmogelijk om ze later helemaal weg te krijgen. Vaak weet je het al op het moment zelf. Het gaat erom wat je ermee doet.

'Tom? Die waait met alle winden mee,' had een gymnastiekleraar op de lagere school een keer over mij gezegd. Dat ging toen over een protest tegen de harde lesmethoden van de gymleraar. Ik was er die dag niet bij, ik lag met griep in bed, maar een paar van mijn vrienden waren wel naar de gymleraar gestapt. Ze hadden hem gezegd dat ik ook deel uitmaakte van de groep die protest tegen hem aantekende. En toen had de gymleraar zijn mening over mij gegeven. In deze letterlijke bewoordingen. Bedoeld om mij tegenover mijn vrienden te diskwalificeren als een meeloper, iemand wiens stem er niet toe deed.

Jarenlang heb ik met dit oordeel van de gymleraar rondgelopen. School er een kern van waarheid in? Had hij iets in mij gezien wat ik zelf niet wist? Deed het er iets toe dat de gymleraar een psychopaat was? Zijn methoden leken rechtstreeks aan het leger te zijn ontleend. We moesten rondjes lopen en over een stok heen springen, en wie niet hoog genoeg sprong sloeg hij met die stok tegen de schenen. Een andere keer, het was midden in de zomer, liet hij ons een halfuur in het gelid staan, precies op de plek waar het zonlicht door de dakramen van de gymzaal naar binnen viel. Pas nadat er drie van ons waren flauwgevallen hield hij ermee op. Een paar maanden later werd de leraar ontslagen – iets met jongens in een kleedkamer.

Ik had zijn oordeel over mij van me kunnen afschudden met de simpele redenering dat het de mening van een psychopaat was. Maar dat was inderdaad te simpel. Het zou nog vele jaren duren voordat ik de juiste draai aan zijn mening wist te geven: hij had gelijk, hij had het goed gezien, ik waaide met alle winden mee, maar was dat niet juist een voortreffelijke eigenschap? Was een vastgeroeste mening niet een teken van een middelmatige intelligentie? Ik had inmiddels meer zelfinzicht. Wanneer ik naar een debat op televisie keek was ik het eerst met spreker één eens. Daarna kwam spreker twee, die de tegenovergestelde opvatting verkondigde. Lang niet slecht, mijmerde ik. Maar toen kwam spreker drie. Die slaat de spijker op zijn kop, wist ik meteen, waarna de gespreksleider andermaal het woord gaf aan spreker één. Ik wist wat er ging gebeuren: spreker één zou mij alsnog van zijn gelijk weten te overtuigen, maar dan moesten sprekers twee en drie niet meer de kans krijgen om daar nog iets tegen in te brengen.

Was het niet een geweldige eigenschap om juist geen eenduidige, vaste mening te hebben, hield ik mezelf vanaf die dag voor. Om begrip op te kunnen brengen voor alle standpunten? Het werd de grondslag voor *Makkelijk leven*, al zou het nog jaren duren voordat ik aan dat boek zou beginnen. 'Laat je met alle winden meewaaien' had het motto kunnen luiden. Wie met alle winden meewaait maakt veel meer mee dan wie zich zijn leven lang uitsluitend aan zijn eigen wind vastklampt.

Later heb ik nog vaak teruggedacht aan het moment waarop ik bij de geopende voordeur Hanna's hand had vastgepakt – zij stond al met één voet buiten, de gehavende helft van haar gezicht al niet meer in het licht van het halletje.

Hoe ik zachtjes in die hand had geknepen, mijn vingers om de hare. Een geruststellend knijpen was het, de hand en de vingers van iemand die alles onder controle heeft. En was dat in feite ook niet zo? Ik had alles toch onder controle? Wanneer was de laatste keer geweest dat ik iets niet meer onder controle had gehad?

Ik zag weliswaar op tegen het gesprek dat ik in de nabije toekomst met mijn zoon zou moeten voeren – ook tegen het eraan voorafgaande telefoontje – maar algauw daarna zou toch vooral de opluchting overheersen.

Een achteloos telefoontje, zogenaamd over iets anders, en daarna die ene onomkeerbare zin: *We moeten praten. Ik wil je ergens over spreken. Kun je misschien morgenochtend?* Op de een of andere manier zag ik de afspraak zelf steeds in een café voor me. Een café hier in de buurt, een normaal café met houten tafeltjes, een in alle opzichten geruststellende omgeving.

Of was het misschien toch meer een gesprek voor in de middag? Een uur of halfvijf; bier en leverworst. En dan halverwege het eerste biertje meteen maar met de deur in huis. *Zeg, sla jij je vrouw weleens?* Nee, dat was geen goed begin. Na zo'n vraag zou Stefan volledig kunnen dichtklappen. Hij hoefde me alleen maar aan te kijken of ik gek was geworden om daarna alles te ontkennen.

Maar de andere benadering, de stap-voor-stapbenadering, stond me tegen. *Hoe is het met Hanna? Hoe is het met jullie, bedoel ik eigenlijk. Alles goed?*

Ik kon zijn antwoord al dromen. *Hoezo alles goed? Zou er iets niet goed moeten zijn?*

Na deze wedervraag zou ons gesprek ten einde komen voordat het goed en wel was begonnen. Tijdens het tweede biertje zou hij me vragen waarover ik hem had willen spreken.

Je wilde me toch spreken? Dat zei je tenminste aan de telefoon. Niet iets ernstigs, hoop ik. Iets met mama?

Nu al, diezelfde avond nog, terwijl ik me weer onder onze gasten mengde, besloot ik voor de andere benadering, die rechtstreeks aan mijn eigen boek was ontleend. Begrip was hier het sleutelwoord. Je in de ander verplaatsen, wie het ook is, wat hij of zij ook doet.

Ik zou mezelf als uitgangspunt nemen. Ik zou een verhaal ophangen over de ergernissen binnen een relatie. *Ik weet niet hoe het bij jou is, maar ik word soms weleens moe van je moeder. Dat is helemaal niet zo raar.*

Ik probeerde me een voorstelling te maken van mijn zoon en mezelf tegenover elkaar, aan een houten tafel in een café, ons tweede biertje voor onze neus. Na *Ik weet niet hoe het bij jou is* zou er in het ideale scenario een reactie van zijn kant moeten volgen. *Ja, dat heb ik ook wel met Hanna.* Als er geen reactie kwam, zou ik verder moeten porren – een pook in een al half uitgedoofd haardvuur, tot het alleen nog smeulende houtblok weer op zou vlammen. *Heb jij dat ook met Hanna? Dat is niet meer dan normaal. Word je weleens helemaal gek van haar?*

Nee, dat laatste was beter van niet. Dat was net één stap te ver. Hij zou dichtklappen. *Gek van Hanna? Waar heb je het over?*

Begrip! Ik moest ergens een opening zien te vinden, hem subtiel te verstaan geven dat ik zijn handelwijze niet in eerste instantie direct afkeurde – dat ik eerst zijn kant van het verhaal wilde horen.

Niemand vroeg wie er zo laat nog aan de deur was geweest, ook Julia niet. Ik was een tijdje weg geweest, ik wist zelf niet eens hoelang. Een halfuur? Drie kwartier? Maar het was niemand opgevallen, zoals wel vaker op feestjes. Misschien stond je wel in de keuken of op het balkon. Zelf ben je je veel sterker bewust van je afwezigheid dan de anderen. Het geeft alvast een inkijkje in de tijd die na jou komt, wanneer je er niet meer bent. Ook dan zullen de mensen al snel weer over hun vakantieplannen doorpraten. Over de laatste films. Waarschijnlijk al tijdens het tweede glas wijn in de koffiekamer van het rouwcentrum.

Samen met mijn vrouw ruimde ik de afwasmachine in. Het tafelkleed vol wijnvlekken en stokbroodkruimels lieten we even liggen om nog een laatste glas te nemen.

Ik schoof de balkondeuren open en haalde mijn pakje Gauloises tevoorschijn.

We bespraken onze gasten. We vroegen ons af of die en die misschien dikker was geworden of juist dunner. We stonden even stil bij de jurk van E.

'Dat moet je dus echt niet meer doen op die leeftijd,' zei Julia. 'Zie jij mij ooit in zoiets rondlopen? Ik hoop in elk geval dat het je nog wel wat zou kunnen schelen. Dat je me zou waarschuwen.'

'Dat is het waarschijnlijk ook,' zei ik. 'Dat het R. niet meer kan schelen dat zijn vrouw voor gek loopt.'

Samen vormden ze een echtpaar dat er altijd zichtbaar trots op was dat ze al zo lang bij elkaar waren. 'Volgende maand precies zesendertig jaar,' antwoordden ze met een samenzweerderige glimlach en bijna in koor wanneer iemand ze ernaar vroeg. Ze verstonden de kunst om die vraag als een balletje voor je neus op te werpen – waarna je het alleen nog maar in hoefde te koppen.

Hoelang zijn jullie eigenlijk al bij elkaar? Het was een vraag als van de negentigjarige die zich in de tram naar een kind toe buigt.

Hoe oud denk jij dat ik ben? En ze reageerden net zo blij wanneer de ander er een jaar of tien naast bleek te zitten.

'Of is het toch juist uit respect?' mijmerde mijn vrouw hardop. 'Dat R. denkt: ze mag er van mij bij lopen zoals ze wil, zolang ze maar gelukkig is?'

Nu, achteraf, denk ik nog steeds dat het door het woord 'respect' kwam dat ik opeens mijn jongste zoon voor me zag. Een serie schokkerige beelden – in zwart-wit, als in de reconstructie van een overval op een supermarkt in een misdaadprogramma – die ik tot nu toe, sinds mijn gesprek met Hanna, nog niet had toegelaten.

Hun huis. De woonkamer. Het licht is gedempt – misschien om toch niet helemaal goed te kunnen zien, te willen zien wat er precies gebeurt.

Hanna zegt iets.

Stefan staat in de deuropening, in het halfdonker zijn er geen gelaatstrekken op zijn gezicht te onderscheiden.

Wat zei je? Een stap verder de kamer in. Zij zit aan de eettafel, haar hoofd over haar laptop gebogen. *Zeg dat nog eens.*

Ze zegt nog iets terug. Iets irritants. Iets wijsneuzerigs. Zo'n halve, op meerdere manieren uit te leggen opmerking: *Je bekijkt het maar. Als jij dat nodig vindt moet je dat vooral doen.*

Ze heeft er het patent op, op dit soort opmerkingen. Later zal ze alles ontkennen. *Wat heb ik nou helemaal gezegd? Is dat genoeg reden om helemaal door het lint te gaan?*

En hier moet ik oppassen. Ik bekijk nu alles door de ogen van mijn zoon. Dat moet ook, houd ik mezelf voor, ik moet het van twee kanten bekijken, hoe kan ik anders een objectief oordeel vellen?

Nog maar een paar uur geleden heb ik naar Hanna's kant geluisterd. Ik heb begrip voor haar opgebracht. Ik heb haar getroost. Ik heb dingen gezegd als dat het 'niet normaal' is wat mijn zoon heeft gedaan. Ik heb nergens spijt van. Het is ook niet normaal. Maar om tot een volledig begrip te komen moet ik de omstandigheden reconstrueren. De voorgeschiedenis.

Hij herkent dat toontje van haar. *Je bekijkt het maar.* Wanneer hij het nu op een ruzie laat aankomen, zal hij zeker het onderspit delven. Zoals altijd is zij de redelijkheid zelve. Bij een reconstructie zullen er geen verzachtende omstandigheden zijn. Wat heeft zij nou helemaal gezegd? Wanneer je haar zinnen een voor een uittypt, ze achter elkaar terugleest, zal er niets dan redelijkheid in doorklinken.

Maar in de uitgetypte zinnen hoor je dat toontje van haar niet. Hoe ze het zegt. *Je kan doodvallen.* Dat zegt ze niet, maar dat hoor je wel. Ze zegt het op een toon alsof hij er helemaal niet is. Bij een echte ruzie zijn er twee partijen. Ze schelden elkaar de huid vol. Ze zeggen verschrikkelijke dingen die nooit meer terug te draaien zijn – denken ze terwijl ze staan te schreeuwen. Maar het valt allemaal reuze mee. *Waar ging dat nou weer over?* zeggen ze wanneer ze elkaar na afloop van de ruzie met tranen in de ogen in de armen nemen.

Maar er is ook een andere manier. Je gaat de ruzie helemaal niet aan. Er is alleen onverschilligheid, je laat aan alles merken dat het je niets kan schelen wat de ander doet of zegt – dat het je niet raakt.

Klopt dat? ga ik nu bij mezelf na. Ja, dat klopt. Ik ben er zelf bij aanwezig geweest, meerdere malen zelfs. Hier bij ons thuis, aan deze tafel, deed Hanna soms of onze zoon er helemaal niet was.

Was hij vroeger ook al zo?

Ze richtte zich tot mijn vrouw, ik was in gesprek met Stefan, maar ik kon de vraag duidelijk horen – dus hij waarschijnlijk ook.

Achteraf zijn dit van die momenten waarop je er misschien iets van had moeten zeggen. Niet meteen, want deze eerste vraag was nog tamelijk onschuldig, alsof onze schoondochter zich vertederd over een fotoalbum boog: een foto van onze zoon op een driewieler, of bij het pinguïnverblijf in de dierentuin.

Nee, niet meteen: later. Maar dat later is dan vaak al te laat.

... is er geen land met hem te bezeilen, ving ik op, in een korte stilte van het gesprek tussen Stefan en mij. Ik zag aan zijn gezicht dat hij het ook had gehoord. Geen verandering in de uitdrukking op zijn gezicht, eerder het tegendeel. Alsof het vast bleef zitten in een pose, de glimlach die we op ons gezicht aanbrengen als we poseren voor een groepsfoto.

Hij had zich op dat moment naar zijn vrouw en zijn moeder kunnen toe draaien. *Hebben jullie het over mij? Dan wil ik dat ook graag horen.* Maar misschien dacht hij hetzelfde als ik: dat hij door deelnemer aan het gesprek te worden waarschijnlijk iets essentieels zou mislopen. Dat hij dan alleen nog een half lacherige versie te horen zou krijgen. *In plaats van de waarheid*, schoot het door me heen. Nu zou hij misschien iets opvangen wat niet voor zijn oren was bestemd. Maar ook dat heb ik me later nog vaak afgevraagd: of mijn schoondochter het er niet om deed. Of ze zich via de vierde wand van mijn vrouw in feite tot haar man richtte.

... dan is hij helemaal in zichzelf, of ik helemaal niet besta, ving ik – vingen wij – nog net op voordat we ons eigen gesprek hervatten.

Waar hadden we het over? Dat herinner ik me niet meer precies. Het kon van alles zijn. Stefan en ik konden het over zo goed als alles hebben. Zowel over oppervlakkige mannenonderwerpen als auto's en voetbal, als over politiek, het hedendaagse terrorisme en de vrijheid van meningsuiting. Maar ook over dingen die ik maar even onder het kopje 'het leven zelf' rangschik. Hoe je je ongemakkelijk kunt voelen in bepaald gezelschap, op een bruiloft of tijdens een receptie. Dat het een zekere vaardigheid vereist om over niets te kunnen praten, en dat je eigenlijk het liefst zo snel mogelijk weer weg bent. Een van de laatste keren dat hij hier op bezoek was – hier alleen op bezoek was, zonder Hanna – hadden we het over geluk en tevredenheid gehad: hoe groot het verschil was tussen die twee.

Praatte hij anders wanneer zijn vrouw er niet bij was, vroeg ik me nu af. Was hij in zijn eentje meer zichzelf? Was ik meer mezelf wanneer ik ergens zonder Julia aan mijn zijde op een feestje of receptie rondhing? Nee, ik wist eigenlijk wel zeker van niet. Eerder andersom.

Ik sloot mijn ogen en maakte de voorstelling af. Mijn zoon is in twee stappen bij de tafel waaraan zijn vrouw over haar laptop gebogen zit. Ze heeft niet eens de tijd om op te kijken. Hij haalt uit met zijn vlakke hand, maar op het laatste moment bedenkt hij zich en knijpt zijn vingers samen tot een vuist. Hij zegt niets. In mijn reconstructie vindt alles in stilte plaats, nog altijd in zwart-wit: de stille beelden, de slechte beeldkwaliteit van een bewakingscamera.

Ze komt half overeind wanneer hij nog een keer uithaalt. Ik heb het eerder over begrip gehad. Over je inleven in de ander. Maar nu moet ik opnieuw oppassen. Dit is mijn zoon. Altijd zal ik de dingen eerder door zijn ogen zien dan door die van Hanna. Met hem leef ik mee, als met de hoofdpersoon in een boek of film. Al vanaf zijn geboorte leef ik met hem mee, misschien nog wel meer dan met mezelf.

'Wat is er?' vroeg Julia.

'Wat? Wat zou er moeten zijn?'

Ze boog zich over de tafel, zette haar glas neer en pakte mijn hand.

'Je zei "godverdomme,"' zei ze. 'Heel zachtjes. En je kneep je ogen samen. Of je iets heel ergs voor je zag.'

Ja, ik zag iets heel ergs. Wat een opluchting zou het zijn geweest om die woorden toen te hebben uitgesproken. Om Julia deelgenoot te hebben gemaakt: van de plekken op het gezicht van onze schoondochter. Maar iets hield me tegen. Haar mening over Hanna in de eerste plaats, die zij uitgerekend de afgelopen maanden was begonnen bij te stellen. 'Ik had laatst best een leuk gesprek met Hanna,' zei ze onlangs. 'En het viel eigenlijk reuze mee.'

Ik zag mijn zoon. Een paar uur eerder had ik het resultaat van zijn actie gezien. Nu zag ik wat hij deed. De vuist. Ik probeerde mijn begrip erop los te laten, maar er liep iets vast, als een stuk film in een projector: het beeld komt tot stilstand en smelt.

Er zijn mensen die in de bioscoop hun ogen dichtknijpen bij onverdraaglijke scènes. Iets met een mes of een injectienaald. Mijn vrouw is zo iemand. Ze knijpt niet alleen haar ogen dicht, ze dekt ze met beide handen af, buigt haar hoofd voorover zodat het bijna de rugleuning van de stoel voor haar raakt. 'Is het voorbij?' vraagt ze. 'Kan ik alweer kijken?'

Het is altijd mijn overtuiging geweest dat je je ogen beter niet kunt sluiten. Wie zijn ogen sluit laat zijn fantasie met de overgeslagen beelden op de loop gaan. De fantasie ruikt haar kans en maakt alles erger dan de werkelijkheid. Zo herinneren we ons later die door de fantasie ingevulde beelden en zweren dat dit ook de beelden waren die we in de film hebben gezien.

Ik had het gezicht van mijn schoondochter gezien. Ik had mijn ogen niet dichtgedaan. Maar nu had ik ze kennelijk wel gesloten bij de beelden van mijn zoon.

Ik keek naar mijn vrouw, naar haar gezicht. Ze zeggen weleens dat je een voorstelling die je beangstigt helemaal af moet maken, tot het einde door moet denken. Je staat boven op een hoog gebouw en kijkt naar beneden. Je stelt je voor hoe je over de balustrade stapt en je laat vallen. Tien verdiepingen. De voorstelling is vooral beangstigend omdat je jezelf in staat acht om het ook echt te doen. Dat er iets is wat sterker is dan jezelf, en dat dat iets je zal influisteren dat je over de balustrade moet klimmen.

Lang geleden, tussen mijn achtste en mijn twaalfde, was er 's nachts een stem die me dwong uit bed te komen. Om naar het raam van mijn slaapkamer te lopen en het te openen. Voor dat raam had mijn moeder een bureaublad laten maken, een houten tafelblad dat vastzat aan de muur onder het raam. Ik kroop op het bureau en opende het raam. We woonden destijds op de derde verdieping. Mijn slaapkamer was aan de achterkant en keek uit over de tuinen van ons huizenblok. Onder in het kozijn waren twee stalen spijlen bevestigd waar je op kon leunen – spijlen die daar eigenlijk zaten als extra beveiliging, om niet naar buiten te kunnen vallen.

Ik leunde op de bovenste spijl, boog me zo ver als ik kon naar buiten. Beneden in de diepte lagen de donkere tuinen. Ik weet nog precies waar het begon: met de stem die me mijn bed uit praatte en me aanspoorde het raam te openen. Aan die stem probeerde ik in eerste instantie geen gehoor te geven. Zolang ik in mijn bed bleef liggen was er niets aan de hand. Het ging om het onherroepelijke gevoel daarna, nadat ik eenmaal was opgestaan. Als de stem sterk genoeg is om me uit bed te laten komen, het raam te openen en naar buiten te leunen, is hij waarschijnlijk ook sterk genoeg om me de laatste stap te laten zetten, zo redeneerde ik.

Soms zat ik daar langer dan een uur. Nooit was ik er voor honderd procent zeker van dat ik niet ook de laatste stap zou zetten.

Ik leunde nog een paar keer ver naar buiten en maakte de voorstelling af tot aan het eind: mijn lichaam dat met een doffe klap op het gras neerkwam.

Misschien zou er bloed zijn, veel of juist opmerkelijk weinig. Ik was ervan overtuigd dat ik zelf niets meer zou voelen, alleen de anderhalve seconde van mijn val zou wellicht een eeuwigheid lijken te duren. Vervolgens dacht ik aan mijn ouders. Aan hun verdriet. Zonder het ooit te kunnen begrijpen zouden ze bij mijn graf staan. Ik dacht aan bloemen, mijn moeder die wekelijks een verse bos op de koude steen zou komen leggen. Nog jarenlang. Ik sloot het raam en liep terug naar mijn bed.

Julia keek me nog altijd vragend aan.

'Ik dacht aan iets,' zei ik, niet geheel bezijden de waarheid. 'Aan iets vervelends wat ik binnenkort moet doen.'

'Soms zou ik willen dat ik dood was,' zegt iemand tegen je, en je kunt twee dingen doen. Je kunt geschokt reageren: 'Meen je dat? Doe niet zo idioot! Zeg toch niet zulke rare dingen! Je hebt een leuke vrouw, twee schatten van kinderen. Waarom zou jij dood willen zijn?'

Of de tweede reactie, de iets subtielere reactie zou ik die graag willen noemen: je doet net of je het helemaal niet hebt gehoord; je laat hooguit een korte stilte vallen en daarna begin je over iets anders – iets in de toekomst is het beste.

'Heb je zin om morgen naar zee te gaan? We kunnen mosselen eten bij die strandtent naast de pier.'

Er schuilt een bepaalde belofte in zo'n voorstel. Misschien heb je inderdaad niet gehoord wat de ander heeft gezegd, maar misschien ook wel. Wellicht is dit niet het juiste moment om nader op de doodswens in te gaan, maar morgen bij een pan mosselen en een fles witte wijn is er meer tijd. Er is in ieder geval een ander perspectief. Wie durft er na het legen van een fles witte wijn – als het moet bestellen we nog een tweede – en bij dit uitzicht op de golven nog over de dood te beginnen?

Je geeft de ander ook geen kans. Je praat over alles, over het leven. Maar niet over de dood. Die dag kom je er in elk geval niet meer op terug. Misschien jaren later nog een keer. Op een feestje, in een rumoerig café waar de muziek te hard staat zodat je alles in elkaars oor moet schreeuwen.

'Weet je nog, een paar jaar geleden, dat jij opeens over doodgaan begon?'

En de ander is je dankbaar. Hij is je dankbaar dat je hem destijds niet serieus hebt genomen.

In de weken na het verjaardagsfeest gebeurde er vrij weinig. Ik ondernam vooralsnog niets. Het zou goed zijn als we door kunnen met ons leven, redeneerde ik. Wij allemaal. Mijn zoon en Hanna, maar wij ook, zijn ouders en haar schoonouders. Hoe verder iets in het verleden ligt, hoe vager het wordt. Dat geldt niet alleen voor het hotel of de camping waar je je vakantie hebt doorgebracht, maar ook voor iets onaardigs wat je al dan niet per ongeluk tegen iemand hebt gezegd. De eerste nacht lig je nog wakker. Je denkt aan de persoon tegen wie je iets hebt gezegd wat eigenlijk niet kan. Je neemt je voor om hem of haar de volgende dag te bellen en je excuus te maken. Hetzelfde proces voltrekt zich met de belediging. Hoe haalde hij dat in zijn hoofd? Je leeft je uit in een fantasie waarin je de belediger meteen na het uiten van de belediging van repliek dient. Of hoe je hem over een paar dagen met je auto klem zult rijden. Of nog beter: hoe je de belediger voor je motorkap ziet oversteken op de fiets en besluit om net iets te laat te remmen.

Maar de volgende dag vraag je je al af waar je je toch zo druk om hebt gemaakt. Je belt de vriend of vriendin niet. Misschien is excuses maken net iets te veel van het goede. Iets vergelijkbaars gebeurt er met de belediging: je herhaalt die nog een paar keer in gedachten, en het is alsof iets van de scherpte er al van af is. Het is als met familieleden of vrienden die je naar het vliegveld hebben gebracht. Eerst draai je je nog een keer om en zwaait. Maar dan moet je al door de veiligheidscontrole. Alleen voor de vorm kijk je nog een laatste keer om, maar eigenlijk is je blik al niet meer gericht op wat achter je ligt.

In *Makkelijk leven* heb ik geschreven over vergevingsgezindheid als een van de belangrijkste pijlers van een gelukkig bestaan. Ik kan niet vaak genoeg benadrukken hoe belangrijk dit is. Iemand heeft je een gemene streek geleverd. Vroeger lag ik daar nachten van wakker. Eerst probeerde ik te bedenken wat die persoon ertoe kon hebben gebracht om zoiets te doen. Daarna zon ik op manieren om het hem betaald te zetten, wanneer de gelegenheid zich voordeed. Ik moet er nu nog om lachen wanneer ik eraan denk hoeveel tijd het verwerken van een geslikte belediging of geleverde streek me vroeger kostte. Verspilde tijd, want alles slijt. Alles gaat voorbij, de dagen volgen elkaar op, de weken, maanden, de seizoenen. Na een jaar is de gemene streek niet vergeten, maar hij zit ergens op een plek waar je hem niet meer de hele dag ziet. Als een litteken op je achterhoofd.

Ja, zo ging het vroeger. Maar het kan ook veel sneller. Begrip is hier opnieuw het sleutelwoord. Je verplaatst je in de ander, de beledigende partij. Wat kunnen zijn beweegredenen zijn geweest? Is hij misschien gefrustreerd over iets? Is hij ongelukkig? Leidt hij een middelmatig en miserabel leven?

Zo kom je al snel op de enige juiste weg. Je bent niet langer de beledigde die zit te mokken over wat hem is aangedaan, maar je begrijpt opeens hoe zielig de ander is. Hoe hij vanuit zijn zielige, mislukte leven immers geen andere keuze had dan jou te beledigen. Hij was zogezegd niet vrij.

Nu is het nog maar een kleine stap naar vergeving. Hoe makkelijk is het om iemand met een benepen, middelmatige persoonlijkheid jouw vergeving te schenken? Hij kon niet anders.

Zijn zielige, meelijwekkende karakter dwong hem tot deze belediging – toevallig aan jouw adres, als er iemand anders in de buurt had gestaan was die het slachtoffer geworden.

Dezelfde weg dien je te volgen ten aanzien van zelfvergeving. Je hebt iets gedaan (in mijn geval is het vaker iets wat ik heb nagelaten) waar je naderhand spijt van hebt. In plaats van daar nachtenlang van wakker te liggen lig je er maar één uur van wakker. Of nog beter: je overdenkt je fout op klaarlichte dag, in een loos moment, terwijl je in de rij voor de kassa staat in de supermarkt. Dit en dat heb ik gedaan of nagelaten, denk je, maar nu is het gebeurd, er is niets meer aan te doen. We gaan door met ons leven.

Vervolgens vergeet je het of, als dat niet meteen lukt, parkeer je het voorval ergens waar je het alleen nog vanuit je ooghoek kunt zien. Vanaf nu gaat de tijd voor je werken. Versneld voor je werken. Je hebt de afstand tussen jou en het probleem in één stap groter gemaakt. Al tijdens het afrekenen is er een glimlach op je gezicht verschenen. Het meisje achter de kassa tikt je boodschappen aan en glimlacht terug. Een goed humeur is besmettelijk. Jullie wensen elkaar een fijne dag, en deze keer klinkt het niet als een formaliteit, maar echt, welgemeend. Misschien maak je het meisje nog aan het lachen. *Wat een leuke man*, zal ze denken, daarna berg je de boodschappen in je plastic tassen en duw je het karretje terug naar de plek met de andere karretjes. Buiten fluit je al tussen je tanden. Je hebt het probleem letterlijk samen met het karretje in de supermarkt achtergelaten.

Het is maar een kleine stap van jezelf vergeven naar jezelf feliciteren. Dat is iets wat mensen vaak vergeten te doen. Je hebt deze keer eens niets nagelaten of verkeerds gezegd. Je hebt het juist helemaal goed gedaan. Al een paar dagen loop je tegen dat vervelende telefoontje aan te hikken, maar nu, op dit moment, toets je het gewraakte nummer in. Wanneer dit nummer al na twee keer overgaan in de voicemail schiet, is dat alleen maar een bonus op je goede voornemen. Je laat geen bericht achter, het achterlaten van berichten gaat terug tot de prehistorie. De ander ziet heus wel dat je hebt gebeld. De ander die je in eerste instantie ook helemaal niet had willen bellen. Nu ligt de bal bij hem. De eerste twee keren dat hij je terug probeert te bellen hoef je echt niet op te nemen.

Ik weet nog precies wanneer het zelf-feliciteren bij mij is begonnen. We waren met Stefan in Antwerpen, hij was toen denk ik een jaar of elf. Op een zeker moment liepen we wat verveeld door een Marc O'Polo-winkel. Stefan had een halveliterfles cola bij zich, waar hij af en toe een slok uit nam. Hoe precies kan ik niet meer terughalen, maar waarschijnlijk heeft hij de dop erop gedraaid en de fles daarna geschud.

Waarom niet, vraag ik me nog altijd af. Waarom zou je geen colaflessen mogen schudden op die leeftijd, waarom mag je niet gewoon nieuwsgierig zijn naar wat er kan gebeuren? Hoe dan ook, toen hij de dop vervolgens weer losdraaide, spoot de cola eruit, en belandde op een stapel T-shirts. Dure T-shirts. Belachelijk dure T-shirts met domme opdrukken die je van je leven nog niet aan zou willen trekken.

Ik zei niets. Ik keek mijn zoon alleen maar aan en haalde even mijn schouders op. Daarna liep ik met het bovenste T-shirt naar de toonbank. Het viel allemaal reuze mee. Alleen dat ene T-shirt was met cola bespat. Ik was op dat moment nog bereid het T-shirt af te rekenen, maar toen was de jongste van de twee verkoopsters al naar de tafel met de overige T-shirts gelopen.

'Hier zijn er ook nog een paar met vlekken,' riep ze naar haar collega. Mijn zoon was naast me komen staan en sloeg schuldbewust zijn ogen neer.

'Ja,' zei ik rustig. 'Ik ben bereid om...' Ik had mijn hand al in mijn broekzak gestoken om te voelen hoeveel contant geld ik bij me had. 'Momentje.'

De jongste verkoopster had zich bij ons gevoegd en toonde nog een drietal lelijke T-shirts waar wat spatjes op te zien waren.

'Deze kunnen wij zo niet meer verkopen, meneer,' zei de oudste.

'Het zijn colavlekken,' zei ik. 'Die kun je er gewoon uit wassen.'

Het waren allebei verkoopsters met typische verkoopstersgezichten: op zich best aantrekkelijk, maar met iets te veel make-up, ontevreden gezichten die bij het afschminken al door de mand zouden vallen en waarnaast je in elk geval nooit wakker zou willen worden.

Ik pakte Stefan bij de arm. Julia kende me langer dan vandaag en bevond zich al ter hoogte van de uitgang. 'Jullie moesten je schamen,' zei ik. 'Een jongen van elf op zo'n achterbakse manier een schuldcomplex aanpraten, terwijl hij niets verkeerds heeft gedaan. Een ongelukje met een colafles. Ik bedoel, waar hebben we het over?'

Niemand hield ons tegen. Buiten op straat bleef Stefan nog een poosje verdrietig kijken, met zijn ogen op de straatstenen gericht, en ook later, in de pizzeria waar we gingen eten, stond zijn blik nog altijd somber.

'Luister,' zei ik, terwijl we onze pizza Margherita's aansneden. 'Het was misschien niet de beste plek om te testen wat je allemaal met cola kunt doen. Maar die twee daar hadden geen enkel recht om zo'n toon tegen ons aan te slaan. Ze probeerden ons gewoon vier T-shirts tegelijk aan te smeren. Dat was misschien wel het eerste wat ze die dag zouden hebben verkocht. Zag je hoe leeg die winkel was? Daar kwam helemaal geen hond. Wat een zielig gedoe! Ik wil niet dat jij je ergens schuldig over voelt.'

Al tijdens het dessert – drie bolletjes vanille-ijs met chocoladeparfait – lachte hij weer. Ik vermoed dat andere ouders – ouders die eigenlijk nooit kinderen hadden mogen krijgen – hun kind na zo'n incident voor straf geen ijs hadden laten eten. Misschien hadden ze het zelfs wel niet naar een pizzeria meegenomen.

Ik zag dat ik het enige juiste had gedaan. Ik zag het aan het lachende gezicht van mijn zoon. Hoe voor hem het voorval met de colafles al achter de horizon begon te verdwijnen – en ik feliciteerde mezelf. Niet alleen die middag, maar nog vele malen daarna, elke keer als ik eraan terugdacht.

Ik ben er nog altijd van overtuigd dat alles anders was gelopen als ik Stefan een week of drie na Julia's verjaardagsfeest niet bij toeval in de stad was tegengekomen. Ik wil hier ook geen argumenten aanvoeren om mijn gedrag goed te praten nadat ik hem had voorgesteld om ergens wat te gaan drinken. Dit was alleen maar logisch.

'Heb je tijd?' vroeg ik. Ik keek even op mijn horloge. 'Vier uur. We kunnen ergens een biertje nemen als je zin hebt.'

Ik wil hier meteen eerlijk zijn. Ik realiseerde me te laat dat ik eigenlijk geen biertje met mijn zoon kon drinken zonder zijn huwelijksproblemen ter sprake te brengen. Nog eerlijker: ik weet zeker dat ik als ik meer tijd had gehad – een paar seconden was al genoeg geweest – niet over biertjes zou zijn begonnen. Stel dat ik hem eerder had gezien dan hij mij, aan de overkant van de straat, dan zou mijn spontane reactie waarschijnlijk zijn geweest om hem te roepen of op hem toe te lopen. Maar na twee, drie seconden zou ik me vervolgens hebben bedacht. Het was beter als we elkaar niet zouden zien – het was nog te vroeg, er was nog te weinig tijd verstreken sinds Hanna's verschijnen op het verjaardagsfeest. Ik zou de tijd verhinderen zijn helende werking te doen.

Zoals het nu ging kwam ik uit het American Book Center naar buiten en botste ik bijna tegen hem op.

'Pap...'

'Stefan.'

We omhelsden elkaar, drukten onze wangen tegen elkaar in iets tussen een kus en een aanraking in – ik voelde zijn baardstoppels tegen mijn wang, gedurende een seconde of drie trok het geluksgevoel, dat me altijd bekroop bij dit lichamelijke contact met mijn zoon, door mijn hele lichaam. We waren nooit afstandelijk tegen elkaar geweest zoals de meerderheid van de vaders en zonen, van jongs af aan was er geen verschil geweest in de manier waarop hij zijn moeder of mij omhelsde.

'De Engelse Reet?' stelde ik voor, nadat hij ermee had ingestemd om samen een biertje te gaan drinken.

De Engelse Reet is een café in een steeg tussen het Spui en de Kalverstraat, een klassieke kroeg die de benaming 'bruin' alle eer aandoet: zaagsel op de planken vloer en een barman die er eer in stelt om zonder opschrijfboekje de bestellingen van zestien klanten tegelijk te onthouden.

Meteen nadat ik had besteld – twee vaasjes, en ook nog een jonge borrel voor mij – nam ik me voor om zijn huwelijksproblemen niet ter sprake te brengen. Niet op dat moment in elk geval. En in stilte moest ik lachen om het woord 'huwelijksproblemen', dat ik bijna zonder het te beseffen in mijn gedachten had toegelaten. Anderen hadden huwelijksproblemen, niet mijn zoon. En als hij toch huwelijksproblemen had, dan waren die goedbeschouwd begonnen op de dag dat hij had besloten om met deze vrouw te trouwen. Toch vroeg ik me meteen daarop af of ik de jonge borrel misschien als voorzorgsmaatregel had besteld – voor het geval hij er zelf over zou beginnen.

Als ik maar zoveel mogelijk aan het woord bleef, redeneerde ik, zou hij daartoe de kans niet krijgen. Ook als we hierna nog een tweede en een derde biertje zouden bestellen. Na het derde biertje was het niet meer dan normaal om weer eens op huis aan te gaan.

Daarom begon ik hem over mijn nieuwste boek te vertellen. Toerisme was het onderwerp. *De kunst van het thuisblijven* luidde de titel. Het ging over iets wat ik in *Makkelijk leven* al had aangestipt: de grootste verplaatsingen van de mensheid sinds de Grote Volksverhuizing tussen de vierde en zesde eeuw. Ik was op het idee gekomen toen ik een paar jaar geleden in een krant een foto had gezien van een man, een Europese of Amerikaanse toerist, die in een kleine tent bij een zwart meisje neerhurkte, een groot fototoestel met een enorme lens in de aanslag. De man droeg een korte broek en je zag zijn dikke witte benen; zijn witte voeten waren in grove wandelsandalen gestoken. Het was vooral de nabijheid van die benen en witte tenen, dit schaamteloos tentoongestelde witte vlees, op slechts enkele tientallen centimeters van het fragiele zwarte meisjeslichaam. Welk recht, vroeg ik me af. Welk recht heeft deze man om met zijn dikke benen en zo goed als blote voeten het privéleven van deze mensen te schenden?

Vandaar kwam ik op mijn volgende idee. In hoeverre werd ons eigen privéleven geschonden door mensen die ongevraagd van buiten kwamen? Ik nam drie steden, drie toeristische trekpleisters als uitgangspunt: Venetië, Barcelona en Amsterdam. Venetië spande de kroon. Daar was het ook al veel eerder begonnen. De oorspronkelijke bewoners waren massaal weggetrokken omdat er, behalve in de toeristenindustrie, geen werk meer voor hen was. Een gewone bakkerij of groentewinkel was er niet meer te vinden. In Barcelona waren mensen de straat op gegaan om te demonstreren tegen de toeristen die halfnaakt boodschappen deden in winkels en de omwonenden hele nachten uit hun slaap hielden met drinkgelagen.

Mijn zoon leek geïnteresseerd te luisteren, we hadden intussen ons tweede biertje voor onze neus staan; voor de zekerheid had ik er opnieuw een jonge jenever naast besteld. We proostten, gedurende misschien een halve seconde keek ik in zijn ogen. Mijn zoon had vrijwel altijd een nieuwsgierige blik gehad, er glinsterde altijd wel iets in, alsof zijn ogen voortdurend lachten. Tegelijkertijd hadden ze iets zoets, iets naïefs, een onschuld die je eerder bij dieren ziet dan bij mensen. Herten keken soms zo, en ook honden wanneer je ze thuis achterliet en je ze bezwoer dat je snel weer terug zou komen.

Maar deze middag stond zijn blik vooral dof, alle glans leek uit zijn ogen te zijn verdwenen. Ik zag nu ook de diepe wallen, de bijna grijze kleur van zijn wangen. *Wat zie je er goed uit!* zeggen we tegen mensen die er goed uitzien. Tegen mensen die er slecht uitzien zeggen we niks. Mijn zoon zag er slecht uit, het viel niet te ontkennen.

Hij ligt 's nachts wakker, schoot het door me heen. *Zij houdt hem uit zijn slaap met haar gezeur.*

'Ik zit hier maar door te kletsen over toerisme,' zei ik, terwijl ik snel mijn jonge jenever achteroversloeg, zodat ik het eventueel kon laten lijken alsof het de te grote slok sterkedrank was die me de tranen in de ogen deed springen. 'Wat zijn jullie plannen deze zomer?'

Ik kon er niet tegen. Ik vond het een onverdraaglijke gedachte dat mijn zoon ergens onder leed. Dat er iets was wat hem kennelijk zo dwarszat dat het sporen op zijn gezicht achterliet. Dat was vroeger al zo, wanneer hij uit school kwam met een sip gezicht en er kennelijk iets was gebeurd. Je kon dan vragen wat je wilde, antwoord kreeg je zelden. 'Nee, er is niets. Echt niet. Wat zou er moeten zijn?' Julia was praktischer in die zin. 'Wat wil je?' zei ze tegen mij. 'Tegenslag. Hij piekert ergens over. Het hoort erbij.'

Stefan wreef over zijn neus en vervolgens in zijn linkeroog.

Was het oogwit daarnet ook al zo rood, of kwam dit door het wrijven?

'Nee, we blijven waarschijnlijk hier,' zei hij. 'We moeten even oppassen met geld en zo...'

'Als alleen geld het probleem is...' begon ik, en ik spreidde mijn armen. Op dit terrein moest ik voorzichtig opereren, mijn zoon was niet makkelijk in het accepteren van mijn geld. 'Zie het anders als een lening. Als het jullie weer beter gaat, mag je me terugbetalen. Hoewel ik natuurlijk altijd het recht heb om die terugbetaling te weigeren,' voegde ik er met een lachje aan toe.

'Ik weet niet,' zei hij. 'We gaan misschien nog wel een paar dagen weg. Een vriend van Hanna heeft ergens een huisje op de Veluwe. Daar mogen we altijd in.'

'Nee, nee, wat een onzin!' zei ik iets luider dan ik van plan was, terwijl ik met mijn vlakke hand op het houten tafelblad sloeg. 'Doe nou niet zo kinderachtig! Neem dat geld gewoon een keer aan. Je moet ergens heen, ergens verder weg, bedoel ik. Huur een huis aan de Spaanse kust, of nee, neem een hotel. Je moeder en ik waren een paar jaar geleden in Aiguablava, dat is echt geweldig, niet dat massatoerisme, kleine strandjes waar je lopend kunt komen. Heerlijk eten ook. Doe nou eens zoiets, en probeer daarbij voor een keer niet aan het geld te denken.'

Ik praatte misschien iets te enthousiast, maar dat kwam vooral door twee schrikbeelden die op waren komen doemen. Eerst het 'huisje op de Veluwe'. Met mijn vrouw was ik lang geleden, we hadden zelfs nog geen kinderen, naar een huisje in de buurt van Hoenderloo geweest. Een huisje op een park met een heleboel andere huisjes, die allemaal namen hadden. Het onze heette 'Broer Konijn', maar er waren ook een 'Katrien Duck' en een 'Oom Dagobert'. Er was geen uitzicht, de bomen stonden tot aan de ramen. Ik begreep sowieso niet hoe mensen het midden in een bos uithielden. Nee, ze moesten niet naar de Veluwe, dat was vragen om moeilijkheden.

Het andere schrikbeeld was dat ze helemaal niet weg zouden gaan. Dat ze de hele zomer hier zouden blijven. Het was mogelijk dat alles van voorbijgaande aard was, dat het over zou waaien, maar misschien was het voor alle betrokkenen het beste wanneer het in elk geval niet direct zichtbaar zou zijn. En er was de afstand. Afstand was altijd goed. In een andere omgeving – maar dan geen Broer Konijn-omgeving – zouden de spanningen misschien niet zo hoog oplopen. Ik zag de blauwe zee voor me, het rustige wateroppervlak met de dobberende bootjes in de baai van Aiguablava, en het leek me zo goed als ondenkbaar dat de dingen uit de hand zouden lopen tegen zo'n achtergrond.

Voor het eerst sinds de gebeurtenissen op het verjaardagsfeest keek ik nu naar mijn zoon als naar iemand die tot zoiets in staat was. Ik keek naar zijn vermoeide gezicht en ik vroeg me af wat er precies was veranderd. Waar het was misgegaan.

Het lag op mijn lippen. *Neem me niet kwalijk, ik wil me nergens mee bemoeien, maar je ziet er slecht uit. Is er iets? Thuis? Iets met Hanna?* Maar ik deed het niet. Het zou de misschien net geheelde wonden weer openrijten. De tijd, hield ik mezelf opnieuw voor, moest eerst zijn werk doen, pas daarna konden we voorzichtig het verband eraf halen.

'Dat ga ik trouwens ook in mijn nieuwe boek behandelen,' zei ik. 'Het geluk van het thuisblijven. Veel mensen beseffen niet dat ze zichzelf doodongelukkig maken met hun reizen naar almaar exotischer bestemmingen. Die wens bestond vroeger helemaal niet. Een enkeling – een avonturier, een ontdekkingsreiziger – trok eropuit, maar negenennegentig procent van de mensheid bleef thuis en was daar buitengewoon gelukkig mee. De rust van het eigen dorp, een zonsopgang, een zonsondergang, de wisseling van de seizoenen, vogels die een nest bouwen, de eieren die uitkomen, de jonge vogeltjes die voor het eerst uitvliegen; daarvoor hoef je niet naar Thailand of de zuidpunt van Chili. De tijd stilzetten, daar gaat het om. Jezelf stilzetten. Wie zichzelf stilzet ziet hoe de wereld om hem heen beweegt. Wie zelf beweegt heeft vaak geen oog voor die beweging en staat in feite stil.'

Voor het eerst sinds we De Engelse Reet waren binnengekomen lachte hij.

'Ik hoop dat je jezelf nog wel kunt horen,' zei hij, 'dat je zelf nog hoort wat je zegt. Want je klinkt een beetje als zo'n sekteleider, sorry dat ik het zeg. En waarom wil je mij zo nodig weg hebben, als ik de tijd kennelijk beter stil kan zetten door thuis te blijven?'

Ik keek naar zijn lachende gezicht en besloot met hem mee te lachen.

'Neem me niet kwalijk als ik een beetje doordraaf. Ik snap dat het zo kan klinken, maar als ik het straks allemaal opschrijf is het wel anders. Bovendien, en dat is het belangrijkste, geloof ik er echt in. Ik geloof echt dat de mensheid beter af is als de meerderheid gewoon thuis zou blijven.'

Buiten namen we afscheid met opnieuw een omhelzing. Ik herinnerde hem aan mijn aanbod. *Je ziet er slecht uit, een beetje zon zou geen kwaad kunnen.* Maar dat zei ik niet. Ik zei hem dat hij Aiguablava moest googelen. 'Het hotel heet ook Aiguablava,' zei ik. 'Als je de foto's ziet bel je me gegarandeerd en maak ik het geld over.'

Ik keek hem na terwijl hij wegliep in de richting van het Spui. Zijn rug. Wat had zij precies gezegd om hem zover te krijgen? Wat is er gebeurd, dacht ik, waardoor onze zoon zoiets heeft kunnen doen? *Zo is hij niet,* dacht ik. *Zo was hij niet.*

Ook aan het huwelijk en echtelijke ruzies heb ik een hoofdstuk van *Makkelijk leven* gewijd. Over de ruzie als vehikel, de smeerolie om een goed huwelijk in stand te houden. 'Het sprookje van de ruzie' luidt de titel van het hoofdstuk: over mensen die altijd ruziemaken en tegenover de hele wereld verkondigen dat ruzie er nou eenmaal bij hoort, bij dat goede huwelijk. Ze zeggen nog net niet 'een perfect huwelijk', maar dat bedoelen ze wel. 'Maken jullie dan nooit ruzie?' vragen ze vervolgens. Ze beweren dat het geen goed teken is, nooit ruziemaken. Of ze doen er het zwijgen toe, en kijken elkaar alleen maar aan. Mensen geloven er echt in, in de heilzame werking van ruzie. Ze schamen zich er ook niet voor om je er getuige van te laten zijn hoe ze elkaar de huid volschelden. *Wij zijn goed bezig* is de boodschap die ze met de verschrikkelijkste beledigingen aan elkaars adres willen overbrengen. *Dit is alleen maar om jullie te laten zien hoe gezond onze relatie is. Hoe gepassioneerd. Straks maken we het weer goed. Waar anders dan in bed?*

Ik had het hoofdstuk eerst 'Het cliché van de ruzie' willen noemen, maar vond 'sprookje' uiteindelijk toch beter.

'Maken jullie weleens ruzie?' vroeg een bevriend echtpaar dat wij thuis te eten hadden gevraagd onlangs aan ons. 'Wij kunnen ons dat nauwelijks voorstellen.'

Het klopte, het was ook nauwelijks voorstelbaar. Maar het was natuurlijk wel wat de mensen graag willen horen. Daarom gooiden wij het bevriende echtpaar een paar smakelijke hapjes toe.

'Natuurlijk maken wij weleens ruzie,' zei ik. 'Dat is toch in elke gezonde relatie volkomen normaal. Wat zeg ik, het zou abnormaal zijn wanneer je nooit ruzie zou maken.'

Bij dit eerste statement over ruziemaken keek ik mijn vrouw nog niet aan; dat was onze stilzwijgende afspraak, ook zij deed geen pogingen om oogcontact met mij te zoeken.

'Hij is soms zo eigenwijs,' droeg Julia het volgende smakelijke hapje aan. 'Dan is er geen land met hem te bezeilen. En ongeduldig. Bij hem moet alles nu meteen. In een restaurant is hij nog niet gaan zitten of hij vraagt zich al af waar de ober blijft.'

'Ongeduld is een teken van intelligentie,' zei ik. 'Voor de sufferd gaat alles te snel. De meer dan gemiddeld intelligente persoon weet dat de meeste dingen sneller kunnen. Daarom verveelt hij zich ook altijd op school.'

Toen pas keek ik mijn vrouw voor het eerst even aan; we wisten nu allebei wat er stond te gebeuren. We zouden het bevriende echtpaar niet alleen op een paar sappige anekdotes van eerdere ruzies trakteren, nee, wij gingen hier *in real time* een kleine ruzie voor ze opvoeren. Om ze gerust te stellen. Dat wij net zo waren als zij. Net zo menselijk. Met al onze fouten en gebreken.

'Je zou jezelf eens moeten zien,' lachte Julia, terwijl ze zich nu voor het eerst rechtstreeks tot mij richtte, in de tweede persoon, waardoor het bevriende echtpaar niet langer als participerend publiek werd gebruikt – publiek dat op elk moment commentaar mocht leveren, en zijn voorkeur voor het ene dan wel het andere standpunt mocht uitspreken – maar alleen nog maar toeschouwer was. Het diende zijn mond te houden tot de voorstelling was afgelopen. 'Het is direct van je gezicht af te lezen als iets je niet snel genoeg gaat. "Waarom komen ze niet? Waar blijft dat biertje? Dat hebben we toch al een halfuur geleden besteld?"'

'Jij bent anders altijd een van de eersten die over de bediening in restaurants klaagt,' zei ik. 'Te langzaam. Ongeïnteresseerd. Onbeschoft.'

'Ja, dat klopt. Maar dat is de laatste tijd echt aan het veranderen. De laatste jaren. Je hebt nu in steeds meer restaurants en cafés van die jonge jongens en meisjes die de hele tijd opletten of iemand iets probeert te bestellen. En ze vragen ook niet meer elke keer of iets heeft gesmaakt. Dat vroegen ze ook bij een slap kadetje met één plakje kaas. "Heeft het gesmaakt?" Maar dat is echt voorbij.'

'Ja, dat zie je hier ook bij ons in de buurt. Die hele reeks nieuwe cafés?' richtte ik me nu toch weer tot het bevriende echtpaar. 'Daar komen wij graag. Aardige jongens, aardige meisjes. Enthousiast in plaats van verveeld. Dat hebben ze daar goed begrepen, dat mensen graag terugkomen naar cafés waar ze goed worden behandeld. Normaal worden behandeld, moet ik eigenlijk zeggen. Want het is natuurlijk niet meer dan normaal.'

Zo ging het wel vaker. En dit keer ging het wel erg snel. Zelfs een ruzie spelen ging ons niet echt goed af. We keken elkaar aan, Julia en ik – en onwillekeurig schoten we tegelijkertijd in de lach.

'Hij is weliswaar ongeduldig,' richtte nu ook Julia zich tot het echtpaar, 'maar dat is wel een onlosmakelijk onderdeel van zijn karakter. Ik kan er meestal wel om lachen. Of anders gezegd: ik zou het heel jammer vinden als hij opeens niet meer ongeduldig zou zijn. Je ziet het soms bij vrouwen, dat ze een bepaalde man nemen, maar dat ze van tevoren al helemaal hebben bedacht wat er aan die man mankeert. Wat er voor verbetering vatbaar is. Dan heeft zo'n man één bepaald afgedragen jasje waar hij zich het lekkerst in voelt. De eerste maanden van hun relatie draagt hij het jasje nog elke dag, maar een paar weken na de huwelijksvoltrekking zit het jasje met nog een paar overhemden, T-shirts en broeken die niet door de beugel kunnen in een plastic tas die aan het Leger des Heils zal worden meegegeven. We kennen iemand, een man, die twee honden had. Twee honden en een oude kat. Toen kreeg hij een nieuwe vriendin. Ze waren een halfjaar samen voordat ze gingen trouwen. In dat halfjaar wandelden ze elk weekend met de honden over het strand. Nog geen maand na de bruiloft waren de honden weg. Zelfs de oude kat mocht niet meer in zijn eigen huis doodgaan, zijn nieuwe vrouw zei dat ze allergisch was voor katten. Toen hebben ze hem naar een dierenwinkel gebracht. Nu zien we die man nog weleens, maar veel minder dan daarvoor. Dat heeft ook met die vrouw te maken. Volgens ons heeft ze zijn hele vriendenkring gescand op wie er wel en wie er niet meer geschikt was om zijn vriend te blijven. Af en toe spreken we nog apart met hem af, zonder haar, in een café, maar hij is niet meer dezelfde. Alsof hij een hersenoperatie heeft gehad waarbij ze iets essentieels hebben weggehaald. Ook is hij magerder geworden. Dat vond zijn vrouw ook geen goede eigenschap, zijn eet- en drinkgedrag. Weet je nog wat ik tegen je zei, Tom? "Hij mist zijn honden," zei ik. "Als hij zo in de verte staart denkt hij aan zijn honden en waarom hij niet meer met ze op het strand mag wandelen." Zonder zijn honden is hij een ander mens geworden. Een andere persoonlijkheid. We zeiden het na afloop nog tegen elkaar. "Als je hem op de man af zou vragen of hij zijn honden mist, zou hij daar waarschijnlijk ter plekke in huilen uitbarsten." En daarom vraag je het niet, je wilt een goede vriend niet opzettelijk aan het huilen krijgen. Maar achteraf dachten we allebei: misschien is dat nog wel het ergste, dat hij zijn honden kwijt is, en dat ze ook nog eens door zijn vrienden worden doodgezwegen.'

Ik zag het voor mijn ogen gebeuren: het echtpaar tegenover ons aan tafel knikte nog wel beleefd terwijl ze naar mijn vrouw luisterden, maar beiden keken toch voornamelijk beteuterd. Er was ze een ruzie beloofd, of op zijn minst een verslag van een ruzie, en nu kregen ze dit: een ideaal echtpaar dat niet tot ruzie in staat was, dat het in alles met elkaar eens was. *Zo klef*, zag ik ze denken – en in feite hadden ze natuurlijk groot gelijk.

'Ik ben het helemaal met Julia eens,' zei ik. 'Je moet elkaar niet willen veranderen. Zij vindt mij ongeduldig, maar zij is ook niet volmaakt. Nou ja, bijna volmaakt, alleen bij wijze van spreken niet helemaal volmaakt.'

'Ik zie hem ongeduldig worden,' zei ze. 'Maar nogmaals: ik vind dat ongeduld ook leuk. Ik zou misschien wel nooit op hem zijn gevallen als hij niet zo ongeduldig was.'

'Julia is bijvoorbeeld erg verstrooid,' zei ik. 'Niet de hele tijd. Soms. Ik weet zeker dat andere mannen daar helemaal gek van zouden worden. Maar ik niet. Ik hou van haar zoals ze is. Jullie kijken me nu zo aan, misschien geloven jullie me niet. Misschien geloven jullie niet dat ze verstrooid is. Ik zal jullie een voorbeeld geven.'

Toen keek ik even naar mijn vrouw; ze wist welk voorbeeld ik bedoelde. Het was altijd hetzelfde voorbeeld. En tegelijkertijd was het waarschijnlijk het beste bewijs van onze ideale relatie: dat zij zich er maar al te goed van bewust was dat het voorbeeld haar als buitengewoon verstrooid neerzette, maar dat ze altijd van begin tot eind moest glimlachen wanneer ik deze anekdote vertelde.

'Het was bijna dertig jaar geleden,' zei ik. 'Een zondag. We lagen nog op bed. Julia lag een boek te lezen. *Half Moon Street* van Paul Theroux. Ik zat in de krant naar een film te zoeken waar we later die dag naartoe zouden kunnen gaan. Op zeker moment zeg ik: "Hé, weet je welke film er ook draait? *Half Moon Street*!" Zij laat haar boek op het dekbed zakken en kijkt me aan. "*Half Moon Street…*" zegt ze peinzend. "Dat doet me ergens aan denken…"'

Julia is altijd sneller met haar oordeel over mensen dan ik – en ze heeft het zelden bij het verkeerde eind.

'Ik vind haar nogal bazig,' zei ze jaren geleden, na afloop van onze allereerste avond samen met onze zoon en toekomstige schoondochter in een restaurant. 'Zoals ze tegen hem doet. Alsof hij een klein kind is. Ik bedoel, dat is hij natuurlijk ook nog wel een beetje, een klein kind, maar toch...'

Mijn vrouw zag het eerder dan ik. Niet alleen de bazigheid, ook wat zij Hanna's 'betweterige kant' noemde. 'Zo'n vrouw die alles beter weet,' velde ze haar eindoordeel. 'Daar gaat onze zoon het niet lang mee uithouden.'

In dat laatste had ze zich vergist. Zuchtend gaf ze ten slotte toe dat haar voorspelling niet was uitgekomen. Julia deed inmiddels wel haar best. Ze vond het niet aardig tegenover haar zoon om openlijk afkeurend te doen over zijn vrouw. Maar het bleef een soort koude vrede. 'Wat ze nu weer zei!' riep ze na afloop van onze laatste gezamenlijke kerstviering uit. 'Hoorde je dat? Dat is toch niet normaal meer!'

Ik weet niet eens meer precies waar het over ging. Iets met de kleuren van de potloden, dat kinderen te opgewonden kunnen raken van felle kleuren. Agressief. Daarom kregen hun eigen kinderen alleen potloden in de kleuren grijs, bruin, zwart en beige.

We deden ons best om enthousiast te doen wanneer de kinderen ons die tekeningen lieten zien. 'Wat mooi!' riepen we uit terwijl we naar een landschap met een zwart huis, een grijze boom, een beige grasveld en een bruine zon keken en we onze stemmen als die van gewone leuke grootouders probeerden te laten klinken. 'Maak er nog maar zo een.'

Toen ze een keer een lang weekend bij ons logeerden, had ik er genoeg van. In een kantoorboekhandel kocht ik de duurste doos kleurpotloden uit het assortiment. Ik voelde me als een opa die door de ouders verboden snoep voor zijn kleinkinderen koopt: lolly's die ze thuis nooit kregen, dropveters, taart. Want ook voedsel met een teveel aan suikers mochten ze van Hanna niet hebben: ook daar zouden ze alleen maar agressief van worden. Dus na mijn bezoek aan de kantoorboekhandel maakte ik ook nog een stop bij de banketbakker. 'Wie wil er cola?' riep ik toen ik thuiskwam en Milan en Emma, opgewonden kreten slakend, de doos met kleurpotloden uitpakten. Ik schonk de glazen tot aan de rand toe vol met cola (het behoeft hier waarschijnlijk geen uitleg dat cola boven aan Hanna's lijst met verboden dranken stond) en zette twee grote schalen op de lage tafel in onze woonkamer. Op de ene schaal een reusachtige slagroomtaart, de andere gevuld met lolly's, Engelse drop en mini-Marsjes.

En werden onze kleinkinderen te opgewonden en agressief van deze overdaad aan kleuren en suikers die in hun eigen huis taboe waren? Ja, nou en of! Ze raakten door het dolle heen. Ze werden helemaal gek.

'Jullie hoeven niet te vragen of jullie nog meer mogen,' had ik gezegd toen ze me na het voorzichtig uitpakken van het eerste mini-Marsje vragend hadden aangekeken. 'Het staat er allemaal voor jullie. Het mag helemaal op.'

Mijn vrouw zag het allemaal glimlachend aan. 'Hoe ga je dat

straks verantwoorden?' vroeg ze me, terwijl Milan en Emma elkaar door de woonkamer achtervolgden en met de kussentjes uit onze zitbank bekogelden. 'Dit gaan ze echt niet geheimhouden.'

'Dat weet ik zo net nog niet,' zei ik. 'Ik had vroeger een opa die me op mijn dertiende meenam naar een café en me daar mijn eerste jonge jenever liet proeven. "Neem er maar een biertje bij, jongen," zei hij. "Maar één ding: vertel het niet aan je vader en moeder." En ik begreep het. Ik begreep dat ik er niets over aan mijn ouders moest vertellen, en dat mijn opa mij dan nog vaker naar het café zou meenemen. En zo ging het ook.'

Ik dacht dat dit een goed voorbeeld was van hoe je als grootouder soms wat losser met de normen moest omgaan dan de ouders zelf. Dat dit in feite de enige functie van grootouders was: om het bestaan met allemaal huiselijke regels te relativeren. Maar mijn vrouw schudde haar hoofd.

'Zij zijn geen dertien,' zei ze. 'Ze zijn drie en vijf.'

'Ik heb ze toch geen jenever aangeboden?' wierp ik nog tegen. 'Want zo voelt het nu een beetje: alsof ik ze op een gin-tonic en een halve gram coke heb getrakteerd.'

Maar ik wist dat mijn vrouw gelijk had. Stefan zou er nog wel om kunnen lachen. Maar van Hanna zouden we een straatverbod krijgen en onze kleinkinderen nooit meer mogen zien.

Die avond – ze waren met geen mogelijkheid in bed te krijgen, met rode hoofdjes van de overdoses suikers (en van alle tekeningen met gele zonnen, groene bomen en een felblauwe zee), lagen ze naast elkaar in het tweepersoonsbed in de logeerkamer – kaartte ik het onderwerp voorzichtig aan.

'Kunnen jullie een geheimpje bewaren?' fluisterde ik terwijl ik mijn hoofd iets dichter naar de rode gezichtjes van Milan en Emma toe boog. 'Jullie weten dat mama niet van felle kleuren houdt en dat ze boos zou worden als ze wist hoeveel snoep jullie hier hebben gegeten.'

Hun gezichtjes stonden ernstig, bezorgd bijna, daarom ging ik snel door. 'Als jullie dat thuis vertellen, mogen jullie hier misschien niet meer komen logeren. Begrijpen jullie dat?'

Ze knikten. Ik haalde diep adem. Ik had met opzet niet in het meervoud over hun ouders gesproken. Alleen over mama. Zo was het tenslotte. Mijn zoon liet dit allemaal gebeuren, die durfde zijn stem niet te verheffen.

'Van het snoep vertellen jullie thuis niets,' vervolgde ik. 'En de tekeningen laten jullie hier. Die hangen we op in opa en oma's slaapkamer. Vinden jullie dat niet leuk? Dan kunnen jullie als jullie hier logeren altijd naar de tekeningen komen kijken.'

Ik hoorde mezelf praten. Er stak een beginnende woede in me op, die ik in ieders belang weer zo snel mogelijk de kop in zou moeten drukken.

'Ze liggen erin,' zei ik tegen mijn vrouw toen ik een halfuur later naar beneden kwam. 'Maar daar is ook alles mee gezegd. Ik heb zo'n vermoeden dat het een onrustige nacht gaat worden.'

Ik vlijde me tegen haar aan op de bank, ze legde haar iPad naast zich neer en haalde haar hand door mijn haar.

'Maar dat hebben we er toch graag voor over?' zei ze. 'Of niet soms?'

'Wij zijn de leukste opa en oma van het westelijk halfrond,' zei ik. 'Terwijl we in feite niet meer dan normaal doen. Of moeten we ons soms schuldig gaan voelen omdat we die twee een leuke middag hebben bezorgd? En trouwens, wat zullen we morgen doen?'

'In ieder geval naar McDonald's,' zei Julia, en we schoten tegelijkertijd in de lach. Ook de gewraakte hamburgerketen stond op Hanna's zwarte lijst. Er zaten 'verslavende stoffen' in de Big Mac en dubbele cheeseburger, zo vertelde ze ons een keer in alle ernst, waardoor mensen al na één keer proeven alleen nog maar aan hamburgers konden denken.

Een van de pijlers van mijn filosofie is mijn overtuiging dat we onze slechte eigenschappen in goede eigenschappen moeten omzetten. Of beter gezegd: we moeten onze slechte eigenschappen zien als onvervreemdbaar van onszelf. Wie aan die slechte eigenschappen rommelt knoeit ook met het geheel van de bouwstenen waaruit zijn persoonlijkheid is opgebouwd.

Iemand is lui. Liever dan de op het aanrecht opgestapelde vuile borden in de afwasmachine te stoppen, blijft hij voorlopig nog even liggen. Er zouden eigenlijk boodschappen moeten worden gedaan, het brood is op en het wc-papier bijna. Maar hij ligt daar goed, hij denkt na – of misschien is 'denken' wel een te groot woord voor zijn mijmeringen. 'Overpeinzingen' dekt de lading beter, maar klinkt weer te pretentieus. 'Dagdromen' is het. Goedbeschouwd ligt hij daar op de bank zijn tijd te verdoen. De meeste mensen voelen zich daar schuldig over, maar iets beters dan hem verdoen valt er met de tijd niet te beginnen.

We maken allemaal lijstjes van dingen die we nog moeten doen. We voelen ons goed wanneer het ons lukt om binnen één dag meer dan de helft van de taken op dat lijstje te kunnen doorstrepen. Aan het eind van de dag zetten we er nog een paar nieuwe taken bij. De volgende ochtend is het lijstje weer net zo lang als op de ochtend van de dag ervoor.

Nietsdoen is de kern van een gelukkig leven. Dus moeten we geen lijstjes maken. Nooit. Niets is belangrijk genoeg om op een lijstje te staan. De vuile borden op het aanrecht zie je ook zonder lijstje wel. Maar ze kunnen tot morgen wachten. Alles kan tot morgen wachten.

Mijn enige gouden regel is dat je met de dingen tot morgen uitstellen anderen geen schade mag berokkenen. Die geleende fiets die je gisteren al terug had zullen brengen, en die intussen ook een lekke band heeft die geplakt moet worden, moet echt vandaag nog worden teruggebracht. Alles wat je voor anderen kunt doen kan beter vandaag. Liefst nu meteen. 'Heb je dat nu al gedaan?' zegt de ander blij verrast. 'Wat snel!'

Je neemt je iets voor, iets voor jezelf, en voert het vervolgens niet uit. Je bent ook zo verstandig geweest om dit voornemen met niemand te delen. Het kan een stille dood sterven zonder dat iemand anders je ooit een verwijt zal kunnen maken. Ik heb niets gedaan, zeg je in stilte bij jezelf, maar ik hoef mezelf ook niets te verwijten.

Een tijdlang vroeg ik me af of ik de huwelijksproblemen van mijn zoon tot de categorie van de vuile borden of tot die van de niet teruggebrachte fiets moest rekenen. Berokkende ik iemand schade door de dingen voorlopig op hun beloop te laten? Ik had mijn schoondochter beloofd om met mijn zoon te praten. Dat had ik gedaan. Eerder nog dan ik van plan was geweest. Dat ik de dingen die ik misschien ter sprake had moeten brengen niet had genoemd betekende niet dat ik niets had gedaan. Ook door iets na te laten doen we iets, ik kan dit niet vaak genoeg benadrukken.

We liggen op de bank. De vuile borden zullen ons niets verwijten als we nog even wachten met ze in de afwasmachine te stoppen. Ze worden ook niet vuiler, hooguit koeken de etensresten nog wat hardnekkiger vast aan het porselein. De meeste dingen verdragen uitstel. Ik lag op de bank, mijn handen achter mijn hoofd gevouwen, en ik dacht aan de best te bewandelen weg. Een tweede gesprek met mijn zoon. *Luister, we moeten het ergens over hebben. Over jou en Hanna. Er is misschien iets wat je me wilt vertellen.* Iets haperde al meteen in het begin. In de eerste plaats bij de ernstige toon die ik zou moeten aanslaan. Ik probeerde me het verdere verloop van het tweede gesprek met mijn zoon voor te stellen. Dat gesprek vond niet opnieuw in De Engelse Reet plaats, maar ergens in een park, een bos was nog beter: het Amsterdamse Bos. In de auto ernaartoe zouden we het nog over koetjes en kalfjes hebben. De nieuwe aankopen van Ajax, de kansen van PSV in de Champions League. En daarna, wandelend op het lange rechte stuk langs de Bosbaan, zou ik plotseling zwijgzamer worden. In gedachten zou ik alvast op de ernstige toon oefenen, als een musicus die voor hij met spelen begint eerst zijn instrument stemt. *Stefan...* een kuchje. *Stefan, er is iets wat ik je recht op de man af, van vader tot zoon, wil vragen.* In mijn verbeelding waren er roeiers in het water van de Bosbaan aanwezig. Of in elk geval één roeiboot met vier roeiers. Ik zou wachten tot de roeiers ons waren gepasseerd: nog één slag van de roeiriemen, nog twee... En daar hield de voorstelling plotseling op. Er werd helemaal niets gezegd. In stilte zouden we de hele Bosbaan aflopen.

Ook dacht ik aan Julia. Ik zou haar alsnog vertellen wat ik voor haar had verzwegen. Waarom had ik dat eigenlijk niet eerder gezegd? Er was inmiddels een maand verstreken sinds we haar verjaardag hadden gevierd. Ik had het meteen moeten vertellen, of helemaal niet, maar in elk geval niet pas na een maand. Ze zou me volkomen terecht verwijten dat deze informatie te belangrijk was om voor haar achter te houden. Misschien dat ik me daar nog wel uit zou weten te redden: ik zou mijn excuses maken, ik zou zeggen dat ik haar er niet mee had willen belasten. Misschien was het immers eenmalig? Voor zover ik weet heeft het zich niet herhaald, zou ik zeggen. Wie weet was het gewoon een uitschieter, en heeft hij nu al spijt als haren op zijn hoofd.

Maar ik hoorde in gedachten de stem van mijn vrouw. Staand aan het voeteneind van dezelfde bank waarop ik nu met mijn handen achter mijn hoofd gevouwen lag te mijmeren. In een letterlijk passieve houding. *Heb je niets gedaan? Helemaal niets gedaan? Waarom mocht ik dit niet weten?*

Inderdaad: waarom mocht zij niets weten? Op hetzelfde moment waarop ik mezelf deze vraag stelde, wist ik ook meteen het antwoord.

Omdat het vanaf dat moment iets van ons tweeën zou zijn. Een van die vele gewone gevallen – hypotheek, geboorte, ziekte, dood – die echtparen met elkaar behoren te bespreken. Het geval zou om een oplossing vragen. Mijn vrouw was misschien bevooroordeeld ten opzichte van onze schoondochter, maar een man die zijn vrouw mishandelde – ook al was die man haar lievelingszoon en die vrouw de schoondochter die ze liever niet had willen hebben – zou ook haar net een stap te ver gaan. Ze zou ze hier samen te eten uitnodigen en het nog voor het hoofdgerecht op tafel kwam ter sprake brengen. Ja, dat was wat er zou gebeuren: er zou over gepraat worden, ogen zouden schuldbewust worden neergeslagen, verwijten zouden openlijk worden gemaakt – niets zou daarna nog hetzelfde zijn.

Stefan zou beterschap beloven, maar niet zonder eerst zijn kant van de zaak toe te lichten. Hoe Hanna hem soms benauwde, hoe ze hem op zijn huid zat met al haar regeltjes en dingen die wel en niet mochten. 'Natuurlijk,' zou hij zeggen, 'natuurlijk mag dat nooit een reden zijn om haar... om te doen wat ik heb gedaan, maar jullie zijn er nooit bij geweest. Jullie hebben nooit gehoord wat voor toontje ze soms tegen me aanslaat, alsof ik een klein kind... nee, dat is het niet eens, een klein kind krijgt van haar meer respect. Ze laat het klinken alsof ik achterlijk ben, te dom om dingen te begrijpen, om een vrouw te begrijpen.'

Julia zou op dat moment al begripvol zitten te knikken. Ze zou haar woede jegens haar schoondochter nauwelijks nog kunnen verbergen. Hoe durfde Hanna zo tegen haar zoon te praten! Ze wist precies waar hij het over had. Nee, wij waren er nooit bij geweest, bij hen thuis, maar we hadden het vaak genoeg gehoord, dat betweterige toontje van haar wanneer ze zich tot hem of de kinderen richtte.

Er zou partij worden gekozen. Er zouden partijen ontstaan. Misschien zou mijn zoon wel partij kiezen voor zijn vrouw tegen zijn moeder. Met een gesprek waarin alles op tafel zou worden gegooid kon ook alles op losse schroeven komen te staan.

In de medische wereld is er een term voor. Het heet een 'conservatieve behandeling'. Na allerlei afwegingen wordt deze vorm van behandelen vaak bij hernia's en opspelende meniscussen toegepast. Maar steeds vaker ook bij ernstiger, levensbedreigende aandoeningen, waarbij een beslissing moet worden genomen tussen een ingreep of geen ingreep. De laatste jaren wint de conservatieve behandeling steeds meer terrein. In plaats van meteen te opereren ziet men het eerst nog een tijdje aan. Wanneer de klachten niet verergeren, wordt zelfs van de ingreep afgezien.

De patiënt mag meedenken over de uiteindelijke beslissing. Een ingreep, een operatie, kan de zaak in één keer oplossen, maar het is nooit zonder risico. Er kan tegelijkertijd onherstelbare schade worden aangericht.

Ik zou Julia niets vertellen – nu nog niet in elk geval.

De mensheid valt in twee categorieën uiteen: de tevredenen, die je in veel gevallen zelfs de 'gelukkigen' kunt noemen, en de ontevredenen. Ze zijn gelijkelijk verdeeld over alle sociale lagen van de bevolking. Je hebt tevreden bijstandtrekkers en ontevreden miljonairs. Over het algemeen zijn de materiële behoeften van de ontevredene groter dan die van de tevredene, ongeacht zijn sociale status. Een ontevredene laat het duurste espressoapparaat uit Italië importeren, maar na twee kopjes espresso zet de misprijzende trek bij zijn linkermondhoek zijn hele gelaatsuitdrukking alweer in de ontevreden stand. De tevreden bijstandtrekker passeert een ijscokar, hij voelt aan het kleingeld in zijn zak – hij weet dat het zijn laatste geld is – en koopt een ijsje.

Ik had met Hanna afgesproken in een van de nieuwe hippe cafés in onze buurt. Ik keek naar het gezicht van mijn schoondochter. Een ontevreden gezicht. Ja, dat was het: een mooi maar ontevreden gezicht. Een gezicht dat nooit gelukkig zou worden. Dat altijd alleen maar meer en meer zou willen. Het espressoapparaat. De korte duur van het geluk na elke nieuwe aanschaf. Tegelijkertijd kon ik het me zo goed voorstellen. Ik dacht aan mijn eigen opwinding bij de aanschaf van de Jaguar en vervolgens van de

Range Rover. Het doorbladeren van de folders. Het uitzoeken van de juiste velgen op de website. Het was als met de voorpret bij vakanties: de wegenkaarten, de reisgidsen, het blauw van het water in het zwembad naast het hotel; zo blauw als op de pagina van Booking.com was dat water in werkelijkheid nooit, het hotel zelf lag naast een niet op de foto's getoonde vierbaanssnelweg. Een nieuwe auto was een nieuwe auto. De eerste dagen rook hij ook nog nieuw. Daarna werd hij gewoon een vervoermiddel.

Ik keek naar haar gezicht, het inmiddels niet meer zichtbaar gehavende gezicht, de mooie maar ontevreden ogen – en ik kreeg met haar te doen. Ze zou het nooit weten, hoe makkelijk het was om gelukkig te zijn. Het gebeurde in een handomdraai, een vingerknip: eerst zag ik alleen nog een ontevreden gezicht, het volgende moment werd dat ontevreden gezicht vooral aandoenlijk. Ik keek nu naar haar als iets wat ik moest beschermen, een dier dat halfblind uit de grond was gekropen en nog niet meteen begreep waar het was. Ik keek in haar ogen en probeerde haar zonder woorden te vertellen dat de weg naar het geluk geen lange en moeilijke weg was, maar dat het allemaal heel dichtbij lag, binnen handbereik.

In plaats van haar te zien als de verwende, ontevreden vrouw met wie mijn zoon nooit had moeten trouwen kon ik haar misschien wel helpen. *Een project*, schoot het door me heen, en ik moest nu oppassen dat er geen glimlach op mijn gezicht verscheen. Ze zou me vragen wat er te lachen viel. Ja, ik zou haar eigenhandig uit het moeras van de ontevredenheid trekken waar ze al haar leven lang tot aan haar knieën in stond. Als het lukte zou het mijn meest ambitieuze project tot nu toe worden. Ik zou er een boek over schrijven: *De ontevreden vrouw*. Nee, dat was te negatief. *Het verdwaalde meisje*. Ik moest eerlijk tegenover mezelf blijven. Het was wat mensen met dat verschrikkelijke woord een 'win-winsituatie' noemen. Wanneer ik mijn schoondochter naar het geluk zou kunnen leiden, bood dit perspectief voor miljoenen ontevreden mensen. Als het hele project zou mislukken, bewees dit alleen maar mijn theorie dat de mensheid simpelweg te verdelen was in tevredenen en ontevredenen.

Maar waarom zou ik te veel tijd besteden aan iemand die het geluk simpelweg niet machtig was? Die geen idee had dat het om de hoek lag, en niet ergens ver weg, achter een in nevel gehulde, onzichtbare verre horizon – die altijd zou blijven denken dat het voor haar niet was weggelegd?

Misschien had ze mijn zoon ook wel zo gezien: als een nieuwe aanschaf. Een espressoapparaat. Ze had hem ergens zien staan op een feestje, een jongen die met een biertje in zijn hand tegen het aanrecht in de keuken leunde – en ze had hem mee de dansvloer op getrokken. *Zo, die is van mij!* En daarna was ze net als met alle voorgaande nieuwe aanschaffen ontevreden geworden. Misschien al na de eerste nacht. Ze had de hele fase van het door de folder bladeren overgeslagen. De geleidelijk ontluikende verliefdheid, het nachtelijke wakker liggen; ze denkt nog maar aan één ding – of aan alle dingen tegelijk: zijn haar, hoe het over zijn voorhoofd valt; zijn mond; zijn handen. Ze stelt zich voor hoe ze haar vingers door dat haar zal halen, hoe ze het van achteren vast zal grijpen tijdens de eerste kus, zijn handen overal, bij haar. Maar nee, zo was het niet gegaan. Ze had hem er op dat feest tussenuit gepikt, hem aan haar hand meegevoerd naar de dansvloer: een geschikte man, een man om een gezin mee te stichten. Onder het dansen had ze hem gekeurd. Tijdens het eerste langzame nummer had ze haar armen om zijn middel geslagen, één hand op zijn onderrug, de andere hand iets lager, op zijn billen. Ze had het vlees gekeurd en daarna zijn gezicht. Zijn ogen straalden onmiskenbaar een zekere intelligentie uit. Hij had een mannelijke mond. De toekomstige kinderen zouden van hen beiden de juiste eigenschappen erven. Kinderen van wie andere mensen zeggen dat ze 'goed gelukt' zijn.

Ze drukte haar lippen tegen de zijne.

'Zullen we hier weggaan?' zei ze. 'Zullen we bij mij thuis nog iets drinken?'

Maar al meteen na die eerste nacht had ze iets van spijt gevoeld. Het espressoapparaat maakte te veel lawaai, het was wel erg groot en massief aanwezig op het aanrecht. Zijn slapende gezicht leek opeens wel erg gewoon in het eerste streepje daglicht dat door een spleet in de gordijnen viel. Zouden het misschien toch heel gewone kinderen worden? Kinderen die je het liefst zou willen verbergen, met wie je in elk geval niet vervuld van trots door de dierentuinen en pretparken zou willen lopen?

We praatten wat, die eerste keer. Over van alles. Gewone dingen. Daarna probeerde ik voorzichtig het geluk bij haar aan te kaarten. Hoe dichtbij het lag, zo makkelijk voor het grijpen.

Je zou achteraf kunnen zeggen dat ik de verkeerde benadering volgde door mijn schoondochter als de voornaamste oorzaak van hun huwelijksproblemen te zien. Alsof je bij brandstichting in een huis niet de brandstichter aanpakt maar het materiaal waarvan het huis is gebouwd. 'Alles van hout! Wat wil je? Dat fikt natuurlijk in één keer helemaal af als het eenmaal brandt.' Maar hadden eerdere onorthodoxe benaderingen mij niet tot miljonair gemaakt?

Zoals met al mijn succesvolle boeken volgde ik ook hier mijn intuïtie. De logische weg werd zo lang mogelijk op een zijspoor gezet. De logische weg zou zijn om mijn zoon direct op zijn gedrag aan te spreken. Geweld gebruiken tegen je eigen vrouw, dat doe je gewoon niet, althans niet in onze cultuur. Geweld is te allen tijde een uiterst redmiddel, en in het onderhavige geval waarschijnlijk alleen maar een teken van onmacht. Ik zou een preek tegen hem afsteken. Een preek met opgeheven vinger. Hij zou deemoedig het hoofd buigen, zijn spijt betuigen en me verzekeren dat het nooit meer zou gebeuren.

Ja, zo zou het gaan. Het zou nooit meer gebeuren, maandenlang nooit meer gebeuren – tot het een volgende keer toch weer gebeurde. Misschien moest mijn zoon zich onder behandeling laten stellen om zijn agressieve uitbarstingen te leren beheersen. Maar ik heb het al eerder gezegd, ik heb erover geschreven in *Makkelijk leven*: een agressief of opvliegend karakter is op zich niet iets negatiefs. Een krater spuwt vuur en lava uit. We kunnen een blok beton in die krater laten zakken, de hele boel dichtstorten, maar de lava is daarmee nog niet weg, hooguit tijdelijk onzichtbaar gemaakt. Onder het betonblok blijft het gisten en rommelen – tot het de druk van onderen niet meer aankan en met een luide knal de lucht in wordt geslingerd.

Mensen uitsluitend van hun agressieve gedrag proberen te genezen is de verkeerde weg. Met het onderdrukken van dat agressieve gedrag smoor je ook andere dingen – die maak je kapot. Toegegeven, mijn zoon was impulsief. Hij maakte ruzie met zijn vrouw. Op een bepaald punt in die ruzie wist hij niet hoe hij die nog langer met woorden kon voortzetten. Maar met diezelfde impulsiviteit haalde hij op een middag zijn kinderen eerder van school en nam hij ze mee voor een picknick op het strand. 'Die paar uur extra school,' schijnt hij bij die gelegenheid te hebben gezegd, 'er zijn belangrijker dingen in het leven.' Een actie die hem op een stevige reprimande van Hanna kwam te staan.

Een psycholoog probeert de mensen verder te helpen, betere, leefbaarder versies van henzelf te maken. Ik ben geen psycholoog. Ik geloof niet in de betere versie. Jarenlang was ik verlegen (nu nog steeds wel een beetje, maar het is, om het zo maar eens te zeggen, een hanteerbare verlegenheid geworden). Een psycholoog had me ongetwijfeld van mijn verlegenheid kunnen afhelpen, maar ik wilde helemaal niet van mijn verlegenheid worden afgeholpen. Ik ben tevreden met wie ik ben, inclusief verlegenheid. Misschien was ik wel gelukkiger geworden zonder verlegenheid, maar ook dat wilde ik niet.

Vandaag de dag is alles erop gericht om 'gezonde' mensen van ons te maken, zowel uiterlijk als innerlijk. We horen er goed uit te zien, gezond te eten, niet te roken, niet te veel te drinken. En ook in ons hoofd moet alles het liefst zo gestroomlijnd mogelijk verlopen. We zetten onze hersenen in de neutraalstand met yoga, meditatie en mindfulness. Zo hebben ook mensen die je nooit op één originele of eigen gedachte hebt kunnen betrappen het gevoel dat ze zin en inhoud aan hun leven geven. Spontaniteit, impulsiviteit, opvliegendheid krijgen een steeds slechtere naam, net als roken, dronkenschap of een Big Tasty bestellen bij McDonald's.

Met pillen helpen we mensen van hun depressie af, van hun hyperactiviteit, genezen we hun slaapstoornissen en brengen de stemmen in hun hoofd tot zwijgen. Maar tegelijkertijd maken we ook iets kapot. Waar ooit, tussen de depressies door, nog weleens werd gelachen gebeurt nu helemaal niets meer. Die leuke hyperactieve jongen is opeens niet leuk meer. Veel kalmer, veel rustiger, maar een stuk saaier. De naar de stemmen in zijn hoofd luisterende schizofreen hoort nu alleen nog stilte. Vroeger kwam hij nog weleens verrassend uit de hoek met een scherpzinnige opmerking, maar sinds hij de stemmen niet langer hoort zegt hij zelf ook niet zoveel meer.

‘Wat vind je het leukste aan Stefan?’ vroeg ik Hanna die eerste keer. ‘Waar denk je aan als je hem mist?’

We spraken vaker af, altijd in hetzelfde hippe café. De eerste keer lachte de barman, een bebaarde hipster met een uit de hals van zijn zwarte T-shirt omhoogkrullende tatoeage van een vuurspuwende Pokémon, me samenzweerderig toe toen hij de jonge vrouw zag met wie ik had afgesproken. De derde keer gaf hij me al een schaamteloze knipoog.

Op die derde afspraak besloot ik om ook het meest gevoelige onderwerp aan te snijden, de grootste hinderpaal op haar weg – hun beider weg – naar het geluk. Of als geluk niet haalbaar was, dan op zijn minst tevredenheid.

'Je zei destijds dat het niet de eerste keer was,' zei ik, terwijl ik me dichter naar haar toe boog over ons tafeltje; zonder het te willen was ik zachter gaan praten, bijna gaan fluisteren. Zolang ik de problemen luchtig benaderde, zou ook Hanna eerder geneigd zijn de luchtige kant ervan te zien.

Een patroon, dat was wat ik het meest vreesde. Dat er een patroon in het gedrag van mijn zoon zou zijn aan te wijzen.

Ze knikte. Ik greep mijn Vedett nog wat steviger vast, voelde de kou van het flesje aan mijn vingertoppen.

'Heeft hij je eerder...?' zei ik nu opeens weer veel te hard, om van het fluisteren af te komen. Ik keek om me heen, maar het café was halfleeg, niemand schonk aandacht aan ons.

'Hij heeft me een keer in de kast opgesloten,' zei Hanna. 'Weet je die kast die we hebben onder de trap? Nou, daar. Hij duwde me er gewoon in en draaide de deur op slot. Wat is er?'

'Wat?'

'Ik weet niet, maar je kijkt of je het grappig vindt.'

Ik had geprobeerd het voor me te zien: mijn zoon die zijn tegenstribbelende vrouw een kast in duwt. Het leek eerder een scène uit een sitcom dan iets wat in zijn leven gebeurde.

Mijn gezicht had me kennelijk verraden.

'Sorry,' zei ik. 'Het was niet mijn bedoeling om het grappig te vinden, ik moest alleen... Hoelang heeft hij je in die kast opgesloten?' vroeg ik toen maar snel, om van verdere uitleg af te zijn.

'Een paar minuten. Misschien niet meer dan één minuut. Maar het was het gevoel van macht. Natuurlijk is hij sterker dan ik, dat hoefde hij echt niet te bewijzen door mij als een onwillig kind een kast in te duwen.'

'En verder? Andere keren?'

'Een keer bij een ruzie in een restaurant. We waren met vrienden uit eten. Hij was me achternagelopen naar de toiletten. In het gangetje bij de jassen heeft hij me toen zo hard in mijn arm geknepen dat ik de volgende ochtend echt een enorme blauwe plek had.'

Is dat alles? had ik nu bijna gezegd, maar ik slikte die zin bijtijds in. Een kast? Een blauwe plek? Ik slaakte een diepe zucht van opluchting. Toegegeven, het was niet leuk om in een kast te worden opgesloten, het was hooguit lachwekkend. Mijn zoon vertoonde abnormaal gedrag, je kon de dingen beter bij de naam noemen. Maar je kon hier toch met de beste wil van de wereld geen patroon in zien?

'En jij?' vroeg ik. 'Weet jij nog wat je die beide keren deed of zei?'

Ze keek me niet-begrijpend aan.

'Ik bedoel of je nog weet wat de aanleiding was. Wat gebeurde er voordat hij je die kast in duwde? Waar ging die ruzie in dat restaurant over?'

Ik had mijn vrouw niet op de hoogte gesteld van mijn ontmoetingen met Hanna. Het leek me beter om dat pas te doen wanneer mijn project was afgerond. Er zou een moment in de toekomst zijn, een etentje bij ons thuis, waarop onze schoondochter iets over haar huwelijksproblemen zou vertellen. Haar huwelijksproblemen die inmiddels achter de rug waren – dankzij mij.

'Ik heb destijds enorm veel aan Tom gehad,' zou ze zeggen. 'Daar ben ik hem nog altijd dankbaar voor.'

Mijn zoon zou alleen maar wat schaapachtig lachen.

Soms lag ik 's nachts wakker en betrapte ik me erop dat ik aan Hanna dacht met haar ontevreden gezicht. De Hanna die nooit gelukkig kon worden omdat het espressoapparaat haar al na één dag verveelde. Mijn schoondochter die in een catalogus van de Bijenkorf bladerde op zoek naar spullen die haar misschien wél gelukkig zouden kunnen maken. Een tv-tafeltje op wieltjes van zeshonderd euro, een staafmixer uit Finland, ovenwanten uit Canada.

Ik realiseerde me dat iets in mezelf zich verzette tegen haar geluk. Dat ik deze vrouw in haar ontevreden staat misschien wel aantrekkelijker vond dan op de schaarse momenten waarop ze zich ontspande en even aan helemaal niets leek te denken.

Is het mogelijk, zo vroeg ik me op een ochtend om halfzes af, terwijl ik de eerste bus van die dag hoorde optrekken bij de bushalte. Is het mogelijk dat je door alles in het werk te stellen om deze vrouw gelukkig te maken het risico loopt iets essentieels van haar charme af te halen? Is het misschien juist haar verveeldheid die haar aantrekkelijker maakt dan de gelukkigere versie van haarzelf?

Ik kan mezelf hooguit verwijten dat ik het te laat doorhad. Mijn gedrag leek nog het meest op dat van een zeventienjarige – dacht ik. Voor een buitenstaander had ik waarschijnlijk meer weg van een door de mist voortstrompelende oude man. *Hij is de weg kwijt, helemaal de weg kwijt.* De volgende ochtend vinden ze hem klappertandend en tot op het bot verkleumd in een boerenschuur waar hij de nacht heeft doorgebracht.

De eerste keer dat ik wakker lag dacht ik nog dat ik niet aan haar dacht, of beter gezegd: dat ik alleen ons gesprek nog eens de revue liet passeren. Maar ik merkte al snel dat ik meer en meer focuste op hóé ze iets zei, welke gebaren ze erbij maakte. Ze had een bijzondere manier van haar handen bewegen, tijdens een bepaalde bewering kromde ze soms haar vingers alsof ze een appel wilde plukken; ze had mooie handen, lange vingers, perfecte nagels, niet te lang, en geheel passend bij haar opvattingen over te felle kleuren waren deze altijd donkerbruin of zelfs bijna zwart gelakt.

's Nachts lag ik wakker en dacht ik aan haar. Alleen nog maar aan haar. Je kunt wakker liggen en je zorgen maken over de volgende dag: morgen ben ik niets waard, denk je, en je draait je kreunend op je andere zij. Maar ik wilde niets liever dan me niks waard voelen. Ik wilde vooral niet in slaap vallen. Ik wilde wakker blijven en aan haar denken.

Ik hield mezelf voor dat ik niks onoorbaars deed. Dit waren niet de fantasieën van een oude man die op zoek ging naar iets jongs. Dit was geen *Dood in Venetië*. Er zou nooit iets gebeuren. Ik zou alleen maar in stilte blijven genieten van haar aanwezigheid. Van haar niet-aanwezigheid. Verder dan dat zou het nooit gaan. Ik kreeg er een goed humeur van, meer hoefde ik niet. Er waren films over gemaakt, boeken over geschreven: vader begint iets met de vrouw van zijn zoon. Niet de beste boeken, niet de beste films. Die rol wilde ik niet spelen.

En dan was er nog mijn vrouw. Zou zij zoiets overleven? *Ga even zitten, ik moet je iets vertellen.* Ik schoot bijna in de lach bij de gedachte aan deze scène. Maar misschien zou zíj juist in de lach schieten. Ik wist niet meteen wat erger was: de vrouw met wie je al meer dan je halve leven samen bent barst in snikken uit en sommeert je onmiddellijk te vertrekken, of ze lacht je alleen maar uit, haar hoofd in haar handen. Nog een halve seconde twijfel je of ze misschien toch huilt. Maar dan begint haar lichaam te schokken en hoor je haar gierende lach. 'O, Tom!' hijgt ze, terwijl ze zich tussen de lachsalvo's door nog maar nauwelijks verstaanbaar kan maken. 'Dat ik dit ook nog moet meemaken! Met de vrouw van je zoon! O, moet je jezelf daar nou eens zien zitten. Je hebt iets stouts gedaan, Tom. Iets heel stouts. Je hebt je voetbal hier door de ruit getrapt en nu kom je hem ophalen en wil je zeker dat ik hem weer teruggeef?'

Als geen ander zou Julia in staat zijn om me het belachelijke van de situatie te laten inzien. Iets zou ongetwijfeld beschadigd raken. De volgende keer dat ik Hanna zag, de eerstvolgende nacht waarin ik wakker lag en aan haar dacht, zou ik aan het schokkende lichaam en de gierende lach van mijn vrouw moeten denken.

Zolang ik het voor mezelf hield was er niks aan de hand. Ik berokkende er niemand schade mee – behalve op de lange termijn misschien mezelf, maar dit was een beetje zoals met roken of te veel drinken: schadelijk was het zeker, we moeten binnenkort echt gaan matigen of helemaal stoppen, maar vandaag nog even niet.

'Weet je wat het is?' zei Hanna, na de derde of vierde keer dat we hadden afgesproken. 'Ik had je dit al eerder willen vertellen, maar ik kom altijd helemaal tot rust als ik me in jouw nabijheid bevind. Je straalt iets uit, een soort totale ontspanning. Misschien ben je je daar wel helemaal niet van bewust. Of hebben anderen dat ook weleens tegen je gezegd?'

Ik keek haar aan, keek in haar ogen waar op dat moment elk spoor van ontevredenheid uit leek te zijn verdwenen.

'En ik zie het ook in hoe je naar me kijkt,' vervolgde ze zonder mijn antwoord af te wachten. 'Diezelfde rust. Alsof je niets verbergt. Of alles echt is.'

'Ja,' zei ik – en verder zei ik niets. Omdat mijn gedachten al met me op de loop waren gegaan. Er is nog hoop, dacht ik. Als mijn schoondochter een project is, dan zou ze weleens het beste project kunnen worden dat ik ooit op me heb genomen.

Achteraf gezien had ik het daarbij moeten laten. Ik had eerder moeten begrijpen dat je mensen inderdaad niet moet proberen te veranderen, zoals ik zelf immers uitvoerig had betoogd in *Makkelijk leven*. Dat is ook het enige waar ik achteraf spijt van heb.

'Ik heb het hem verteld,' zei Hanna op wat onze laatste afspraak in het hippe café zou zijn.

'Wat?' vroeg ik ten overvloede, omdat ik het eigenlijk al wist. Ik voelde het aan mijn vingertoppen die het flesje Vedett omklemden: het was alsof ze de kou van het bier opeens niet meer doorlieten, of misschien was het eerder zo dat ze net zo koud waren als het flesje waardoor ze geen temperatuurverschil registreerden.

'Dat wij elkaar zien,' zei ze. 'Dat we vaker hebben afgesproken om het over zijn gedrag te hebben.'

Ik zei niets, ik stond op het punt om het flesje los te laten en mijn hand op de hare te leggen die op tafel lag, naast het voetje van haar glas witte wijn.

'Ik heb het hem ook verteld omdat ik geloof dat er een einde aan moet komen,' zei Hanna. 'Aan dit. Je hebt me echt geholpen, maar nu moet het stoppen.'

'Waarom?' Ik legde mijn hand op de hare, maar ze trok hem meteen terug.

'Om dit,' zei ze. 'Ik weet niet eens of je het zelf wel doorhebt, Tom. Maar het is de manier waarop je naar me kijkt. De laatste keer. Ik zie het in je ogen. Ik zie hoe je naar me kijkt. Dat is niet goed. Niet voor mij en niet voor jou. Het is gewoon beter als we elkaar een poosje niet meer zien.'

'Maar die laatste keer zei je nog hoe rustig je van me wordt: van hoe ik naar je kijk.'

Ze slaakte een zucht; haar beide handen bevonden zich nu onder de tafel. 'Ik wilde iets aardigs tegen je zeggen, Tom. Omdat ik dacht dat je me echt probeerde te helpen. En op het moment dat ik het zei besefte ik opeens *hoe* je naar me keek.'

'Heb je hem dat ook verteld? Aan Stefan? Hoe ik naar je kijk?'

'Nog niet, maar ik vertel het hem wel. Ik dacht eerst: dat hoeft hij niet te weten. Maar dat kan ik niet. We zijn altijd eerlijk tegen elkaar geweest. Ik wil niet dat er geheimen tussen ons zijn. Ik vertel het hem vanavond. Dan is het verder aan jullie tweeën hoe jullie daarmee om willen gaan.'

Ze stond op; in een snelle beweging strekte ik mijn hand naar haar uit en greep haar stevig vast bij haar pols.

'Wacht,' zei ik. 'Ga zitten.'

Ze keek naar mijn hand en daarna keek ze naar mij.

'Ga zitten!' zei ik. 'Nu!'

Ik had de hipster-barman niet zien aankomen; hij stond opeens naast ons tafeltje.

'Alles in orde hier?'

Mijn zoon kwam de volgende dag heel vroeg in de ochtend. Het was een zondag; ik zat met een kop koffie, een toastje met pindakaas en de krant van zaterdag aan onze keukentafel toen er werd gebeld.

Wie kan dat nou zijn om deze tijd, had mijn eerste gedachte kunnen zijn, maar ik denk dat ik het op dat moment al wist: dat mijn project deze ochtend in alle vroegte tot een einde zou komen.

Julia sliep nog; terwijl ik de trap naar de voordeur af liep werd er opnieuw gebeld.

'Jongen,' zei ik, nadat ik de deur van het nachtslot had gedaan en hem had opengetrokken.

Ik spreidde mijn armen. Ik verwachtte dat we elkaar zoals altijd met een omhelzing zouden begroeten.

'Waar ben je mee bezig?' zei hij op nogal luide toon; ik herinner me dat ik in eerste instantie vooral aan Julia dacht: dat zij hiervan wakker zou kunnen worden.

Dat is meteen ook het laatste wat ik me nog kan herinneren.

Het volgende moment lag ik op de bank in onze woonkamer. Julia depte mijn gezicht met een washandje, een teiltje op haar schoot – het water in het teiltje was donkerrood.

Met samengeknepen ogen keek ik naar haar. Dat dacht ik toen

nog, dat ik met samengeknepen ogen naar haar keek. In werkelijkheid zaten mijn beide ogen zo dicht dat ik ternauwernood iets kon onderscheiden.

Ik zag dat Julia had gehuild – misschien huilde ze nog steeds een beetje.

En ik voelde ook iets. Mijn gezicht. Het was een soort pijn die van heel diep leek te komen. Een donkere, bonzende vlek van pijn die zich vanuit het binnenste van mijn hoofd naar de oppervlakte drong.

Ik bewoog mijn tong in mijn mond; ook mijn tanden voelden anders dan normaal, vooral mijn voortanden. Ze waren er nog wel, maar ze leken korter, scherper: ze deden pijn aan het puntje van mijn tong.

'O, Tom,' zei mijn vrouw. 'Tom...'

Je hebt vrouwen die geen genoegen nemen met een man zoals hij is, die op zoek gaan naar een kneedbare man. In het begin nemen ze alles nog voor lief, maar in gedachten zien ze de ideale versie van hun man al voor zich. Ze kijken naar mannen zoals je naar een huis kijkt waar nog van alles aan moet gebeuren: het schrootjesplafond gaat er als eerste uit, die bruine badkamertegels zijn echt passé, de keuken is te klein en kan beter als open keuken bij de woonkamer worden getrokken. Nu laat de man de askegel van zijn sigaret zo lang worden tot die uiteindelijk op de grond valt; dat is eerst nog leuk en lief, we zijn tenslotte verliefd, maar de askegel heeft zijn langste tijd gehad. 'Waar heb je anders een asbak voor?' Misschien is het sowieso beter wanneer hij binnenshuis niet rookt. 'Zou je dat voortaan op het balkon willen doen, liefje? Ik kan echt niet tegen die lucht.' Vandaar is het nog maar een kleine stap naar de suggestie om maar helemaal met roken te stoppen. 'Soms als je me kust smaakt het als een natte asbak.' Zijn morsige pakken, geruite overhemden en verkeerde dassen waren nog leuk en lief en aandoenlijk toen ze verliefd op hem was, maar het wordt tijd dat hij er als een volwassene bij gaat lopen. Steeds vaker komt zij thuis met tassen vol overhemden, broeken, jasjes. 'Dit staat je perfect! Kijk in de spiegel, dan zie je het zelf ook.'

Ze hebben jaren met poppen gespeeld, ze weten als geen ander hoe ze je aan en uit moeten kleden. 'Hij is zo lief,' zeggen ze tegen hun vriendinnen, 'maar die oude gympen konden echt niet meer. Hij heeft ze zelf weggegooid. Voor mij.'

Ons geheim, het geheim van Julia en mij, is ook en misschien wel vooral dat wij elkaar nooit hebben proberen te veranderen. Dat wij ons nooit een illusie hebben gemaakt over een mogelijke ideale versie.

In eerste instantie gaf ik dan ook geen commentaar toen mijn vrouw een paar dagen na het incident met Stefan aankondigde dat ze een poosje bij onze andere zoon, Dennis, in Canada zou gaan logeren.

Bij saaie Dennis, dacht ik. In het ongetwijfeld ook saaie Canada.

'Hoelang ga je weg?' vroeg ik haar diezelfde avond voorzichtig.

'Ik weet het niet, Tom,' zei ze. 'Ik heb een open ticket gekocht. Ik zie het wel. Misschien een paar weken. Misschien wel een paar maanden.'

Hoe ga je het daar zo lang uithouden? had ik kunnen vragen, maar deed het niet. Ik weet wel dat ik inmiddels anders over saaiheid ben gaan denken. Aan de voordelen van saai zijn, bedoel ik dan. Ik had zelfs een mogelijke titel voor een boek bedacht: *Het recht op saaiheid.*

Ik dacht aan onze oudste zoon. Aan Dennis. Misschien was hij wel zo ver weg gaan wonen om afstand tussen hem en mij te scheppen.

Deze gedachte werd versterkt toen Stefan een paar dagen later aankondigde dat hij binnenkort met zijn gezin naar Australië ging emigreren.

Dat nieuws hoorde ik van mijn vrouw. Op zijn verzoek hadden ze in de stad afgesproken, en daar had hij het haar verteld.

'Misschien geen slecht idee,' zei ik. 'Australië is een groot land, daar kan hij zijn vrouw er weer van langs geven zonder dat iemand het zo gauw zal merken.'

Julia keek me aan, ik zag tranen in haar ogen.

'Begrijp jij nou echt helemaal niets?' zei ze.

Stefan en Hanna vertrokken een paar maanden later met hun kinderen naar Australië. Julia zat toen al lang en breed bij Dennis in Canada.

Er was geen echt afscheid; ik had daar ook geen behoefte aan. Toen ik mijn vrouw laatst sprak aan de telefoon, zei ze opnieuw dat ze nog niet wist hoelang ze weg zou blijven.

'Ik zat te denken: misschien ga ik van hieruit wel bij Stefan langs,' zei ze. 'Dat kost minder tijd dan wanneer ik eerst weer helemaal terugvlieg.'

'Ja, natuurlijk,' zei ik.

Ik vroeg haar niet hoelang dit allemaal ging duren, en wanneer ze dacht naar huis te komen. Ik heb mijn vrouw altijd vrijgelaten. Mijn gevoel zei me dat ik niet moest gaan aandringen.

Er was wel een verschil. Op eerdere reisjes, wanneer Julia in haar eentje of met vriendinnen een paar weken weg was, vroeg ze altijd hoe het met mij ging, of ik me wel kon redden.

Ze zit nu alweer een maand of drie in Canada, maar in al die tijd heeft ze dat niet één keer gevraagd.

Soms trek ik me terug in de wc naast onze slaapkamer en kijk in de spiegel. Mijn linkeroog is anders dan het was: het is net of het in de linkerhoek een paar millimeter naar beneden is gezakt, en ook zit er een bloeduitstorting in het oogwit die nooit helemaal is verdwenen.

Mijn voortanden zijn nu stifttanden – niet van echt te onderscheiden.

Misschien is het dit allemaal wel waard geweest, denk ik vaak. Er zijn dingen gebeurd. Er zijn dingen veranderd. Wanneer ik aan mijn beide zoons denk, hoop ik dat ze allebei op hun manier gelukkig zijn. Ik denk daarbij ook vaak aan de helende werking van de tijd.

Dan glimlach ik naar mijn spiegelbeeld, naar mijn nieuwe tanden, mijn verzakte oog.

'Ik wil naar huis,' zeg ik.

MAKKELIJK LEVEN

1. Probeer problemen niet altijd op te lossen door eraan te denken; vaak worden ze eerder opgelost door er niet aan te denken.
2. Vergeef de ander; vergeef jezelf; feliciteer jezelf.
3. Laat de tijd zijn werk doen: iets is de volgende ochtend al minder erg; na een week weet je al niet meer wat er zo erg was.
4. Vermijd waar mogelijk een ingreep; vaak wordt iets pas een probleem door het letterlijk te benoemen.
5. Maak geen lijstjes; niets is belangrijk genoeg om op een lijstje te staan.
6. Probeer niemand te veranderen, ook jezelf niet.
7. Vraag je af of je 'slechte' eigenschappen wel zo slecht zijn; vraag je af wat er van je totale persoonlijkheid af gaat als je die eigenschappen probeert te onderdrukken.
8. Wacht niet tot het leven begint; denk alles wat in de toekomst ligt zoveel mogelijk weg.
9. Wees een tevreden mens; de ontevredenen verliezen vooral veel tijd.
10. Stel altijd uit tot morgen wat je vandaag nog zou kunnen doen; laat je geen schuldcomplex aanpraten door een stapel vuile borden op het aanrecht.
11. Het leven begint nu.

HERMAN KOCH

Herman Koch (1953) is auteur van de wereldberoemde roman *Het diner*, die aan meer dan 40 landen werd verkocht en wekenlang op de bestsellerlijst van *The New York Times* stond. De Amerikaanse verfilming gaat in 2017 in première. In 2011 verscheen de roman *Zomerhuis met zwembad*, in 2014 kwam *Geachte heer M.* uit, waarvan meer dan 175.000 exemplaren werden verkocht. Kochs laatste roman, *De greppel*, verscheen eind 2016.

Red ons, Maria Montanelli (roman, 1989)
Eindelijk oorlog (roman, 1996)
Eten met Emma (roman, 2000)
Odessa Star (roman, 2003)
Denken aan Bruce Kennedy (roman, 2005)
Het diner (roman, 2009)
De ideale schoonzoon (columns, 2010)
Zomerhuis met zwembad (roman, 2011)
Korte geschiedenis van het bedrog (verhalen, 2012)
Geachte heer M. (roman, 2014)
De greppel (roman, 2016)

Verschenen bij Ambo|Anthos *uitgevers*

GRATIS REIZEN MET DE TREIN

Op vertoon van dit Boekenweekgeschenk kunt u op zondag 2 april gratis reizen met de trein. U hoeft niet in en uit te checken. Bij controle in de trein toont u het Boekenweekgeschenk als geldig treinkaartje.

Poortje gesloten?
NS maakt op haar stations steeds meer gebruik van poortjes.
Komt u tijdens uw reis op een station waar de poortjes gesloten zijn, dan kunt u deze poortjes openen met de vierkante barcode op de achterzijde van dit Boekenweekgeschenk. Hieronder ziet u hoe.

1. Ga naar een poortje met het 'scan ticket'-symbool.

2. Houd de vierkante barcode tegen het verlichte vlak aan uw rechterzijde.

3. Het poortje opent. U kunt nu het station betreden of verlaten.

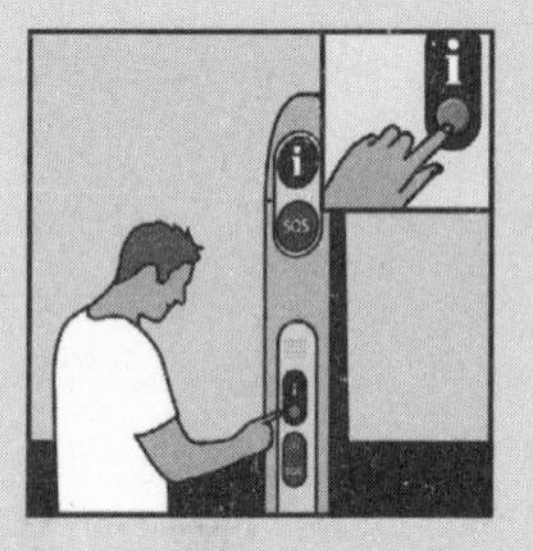

Meer informatie?
Gebruik de i-knop op de Informatiezuil of ga naar een servicemedewerker.

Reisvoorwaarden in het kort:
Geldig voor 1 persoon 2de klas • op zondag 2 april 2017 v.a 00.01 uur t/m maandag 3 april 03.59 uur • overgang van 2de naar 1ste klas niet mogelijk • geldig in treinen van NS, Arriva, Connexxion, Breng, Syntus en Veolia • geldig op binnenlandse trajecten van Intercity Brussel en Intercity Berlijn • met toeslag in ICE International • toeslagvrij in Intercity direct • niet geldig in Thalys • geen restitutie reeds gekochte treinkaartjes • geen geld terug bij vertraging • geen recht op samenreiskorting

Kijk voor de volledige reisvoorwaarden op **ns.nl/boekenweek**